LE FACTEUR
CHANCE

Couverture
- Maquette et illustration
  MICHEL BÉRARD
Maquette intérieure
- Conception graphique
  GAÉTAN FORCILLO

DISTRIBUTEURS EXCLUSIFS:

- Pour le Canada
  AGENCE DE DISTRIBUTION POPULAIRE INC.,*
  955, rue Amherst, Montréal H2L 3K4, (514/523-1182)
  *Filiale du groupe Sogides Ltée

- Pour l'Europe (Belgique, France, Portugal, Suisse,
  Yougoslavie et pays de l'Est)
  OYEZ S.A. Muntstraat, 10 — 3000 Louvain, Belgique
           tél.: 016/220421 (3 lignes)

- Ventes aux libraires
  PARIS: 4, rue de Fleurus; tél.: 548 40 92
  BRUXELLES: 21, rue Defacqz; tél.: 538 69 73

- Pour tout autre pays
  DÉPARTEMENT INTERNATIONAL HACHETTE
  79, boul. Saint-Germain, Paris 6e, France; tél.: 325 22 11

Max Gunther

LE FACTEUR CHANCE

Traduit de l'anglais
par Ivan Steenhout

LES ÉDITIONS DE L'HOMME*

CANADA: 955, rue Amherst, Montréal H2L 3K4
EUROPE: 21, rue Defacqz — 1050 Bruxelles, Belgique

* Filiale du groupe Sogides Ltée

L'édition originale de cet ouvrage a été publiée en 1977 par Macmillan
Publishing Co., Inc. sous le titre The *Luck Factor*

Bibliothèque nationale du Québec
Dépôt légal — 2ème trimestre 1978

ISBN-0-7759-0594-1

LA QUÊTE

Venez à moi, vous qui cherchez! Et préparez-vous à suivre un drôle de périple. Nous allons partir à la découverte d'un espace quasiment vierge: le pays de la chance — quasiment vierge, parce que la plupart des hommes et des femmes s'imaginent qu'il est impossible de le découvrir, et que la chance, de toute manière, ne répond à aucune des règles de la logique. Le mot "chance", ils s'en servent pour désigner les évènements incontrôlables, incontrôlés qui s'abattent sur leur vie. Il n'est pas plus possible, estiment-ils, de dresser la carte de la chance que de prévoir les flux et reflux des vagues d'un océan déchaîné. Ordonner la chance, en mesurer la terrible géométrie semble donc une entreprise vouée à l'échec.

Cependant, avant de parvenir au terme de votre quête, vous découvrirez que la chance n'est peut-être pas aussi fortuite ou accidentelle qu'il y paraît. Il y a moyen, dans une certaine mesure, mais de façon très concrète, de l'influencer.

La chance s'étudie, se vit, se manipule de manière rationnelle.

Il est possible d'accroître ses propensions à la chance et de diminuer sa malchance. Il est possible de contrôler sa chance mais au prix de certains changements, parfois très profonds, dans sa propre personnalité et dans son entourage. Ces changements s'influencent et se complètent. Ensemble, ils forment ce que j'appelle: l'*ajustement à la chance*.

Cette théorie de l'ajustement à la chance, je l'ai mise au point grâce à d'innombrables observations, étalées sur plus de vingt ans, du comportement de personnes toujours chanceuses et de celui d'autres personnes invariablement malchanceuses. Ceux qui ont de la chance présentent cinq caractéristiques majeures et constantes — dont sont totalement dépourvus les êtres malchanceux. Nous allons passer ces caractéristiques en revue, les étudier attentivement et réfléchir sur leur effet. En gros, les voici:

La toile d'araignée: les gens qui ont de la chance tissent autour d'eux une sorte de réseau le long duquel celle-ci circule et irradie.

L'intuition: les hommes et les femmes qui ont de la chance savent d'instinct, sinon de façon consciente, percevoir plus que ce qu'il n'est habituellement donné de voir.

Le phénomène "audentes fortuna juvat": (la chance sourit aux audacieux): La vie des gens qui ont de la chance est toujours en zigzag; elle n'est jamais droite ni constante.

L'effet "cran d'arrêt": les gens qui ont de la chance l'utilisent d'instinct pour empêcher leur mauvaise fortune occasionnelle de s'aggraver.

Le paradoxe du pessimisme: on dit souvent que les gens qui ont de la chance sont ceux qui envisagent la vie de façon positive et gaie. C'est faux: la plupart des êtres dont l'existence a été objectivement remplie de chance cultivent, au contraire, un pessimisme noir et forcené qui fait intrinsèquement partie de leurs réactions et de leurs attitudes devant la vie.

Ces cinq caractéristiques comportent des corollaires et des prolongements. Au début, plusieurs de ces attitudes secondaires m'ont surpris et intrigué. Je pense qu'elles vont vous surprendre aussi. Bien des règles d'éthique professionnelle, par exemple des conseils qui se donnent depuis des générations, sont, en fait, de véritables recettes de malchance; ou encore, une simple expression, comme "coup de tête", par exemple, peut vous faire beaucoup de tort. Par contre, une superstition à laquelle on croit depuis longtemps peut être concrètement très utile. Et...

Mais nous y reviendrons en temps et lieu. Voilà! Nous sommes prêts à partir. Pour tous bagages, contentez-vous d'apporter votre scepticisme et — quand même — votre désir d'écouter attentivement. Gardez votre esprit clair et vos yeux grands ouverts. Bonne chance!

PREMIÈRE PARTIE: LES COUPS DU SORT

1. LES BÉNIS ET LES MAUDITS

Certains ont plus de chance que d'autres. Cela, au moins, peu le contesteront. Mais ce genre de constat ressemble à un potage peu nourrissant servi au début d'un repas. En soi, il n'est pas satisfaisant. Il faut la suite. Et c'est ici que commencent les discussions.

Pour quelle raison certains ont-ils plus de chance que d'autres? La question est essentielle. Elle touche les gens dans ce qu'ils ont de plus profond: dans ce qu'ils croient à propos d'eux-mêmes, de leur existence et de leur destin. Et personne n'est d'accord sur la réponse. L'unanimité ne s'est pas encore faite, ne se fait pas, et ne se fera peut-être jamais. Certains croient connaître les fondements de la chance et ceux de la malchance. D'autres estiment qu'il doit bien y avoir certaines raisons à l'une comme à l'autre, mais doutent qu'on puisse jamais les découvrir. D'autres, enfin, se disent qu'à la fois la chance et la malchance sont des phénomènes aléatoires.

Et c'est ainsi que le débat commence.

Eric Leek est coiffeur. Il a beaucoup réfléchi à la question ces derniers temps car la chance est entrée subitement dans sa vie et en a radicalement changé le cours. J'avais hâte de savoir ce qu'il pensait. Je suis donc allé le voir à North Arlington, dans le New-Jersey. J'avais une adresse mais ce n'était pas la bonne. C'était l'adresse d'un appartement tout délabré au-dessus d'un magasin, dans une petite rue plutôt minable. Il y avait une pharmacie tout près et, juste à côté, un corridor sombre et sans indication. Je me suis dit sans trop savoir pourquoi qu'Eric Leek devait habiter par là. Il n'y avait aucun nom sur la boîte aux lettres en métal toute fendue. Au sommet d'un escalier plutôt pourri, j'ai trouvé une autre porte sans indication, elle non plus. En espérant ne m'être pas trompé, j'y ai frappé.

Eric Leek m'a fait entrer. C'est un assez bel homme, grand, maigre, âgé de vingt-six ans. Il a des cheveux châtain clair et porte une moustache. L'appartement est vieux mais bien entretenu. Leek me présente à son amie, Tillie Caldas, qui insiste pour m'apporter une bière car, dit-elle, cela la met mal à l'aise de voir un invité assis sans rien à boire. Le troisième membre de la famille est un petit chat blanc et brun. Il s'appelle Keel — c'est-à-dire Leek épelé à l'envers. Eric Leek m'a fait remarqué que son nom entier épelé à l'envers donne Cire Keel et qu'au moyen-âge il y avait un sorcier de ce nom-là. Leek pense qu'il est peut-être la réincarnation de Cire Keel.

Nous en sommes venus à parler de la chance.

— Je n'aime pas parler de la chance, me dit Leek. Quand j'en parle, certaines personnes me trouvent un peu fou. Pour moi, la chance est un phénomène d'ordre religieux surtout — ou mystique, si vous préférez. Pour avoir de la chance, il faut être prêt à en avoir. La chance arrive à ceux qui, au lieu de s'en servir égoïstement, veulent aider les autres. Je ne crois pas que les gens cupides soient souvent chanceux. Au contraire, les gens les plus cupides que je connaisse sont aussi les plus malchanceux.

Au cours des années à venir, Leek aura amplement l'occasion de prouver sa sincérité. Cet obscur jeune homme est soudain devenu, le vingt-sept janvier 1976, immensément riche. Il a gagné le gros lot de la loterie spéciale du Bicentenaire, organisée par l'Etat du New-Jersey. Ce prix était le plus gros qui se soit jamais gagné dans aucune loterie de toute l'histoire des Etats-Unis; 1 776 dollars par semaine, à vie, c'est-à-dire un peu plus de 92 000 dollars par an. Il est garanti à Leek — ou à son héritier, s'il meurt prématurément — une somme globale d'au moins 1,8 millions de dollars.

Son billet lui a coûté un dollar. Soixante-trois millions de billets avaient été mis en circulation pour ce tirage.

— Je devine la question, dit-il. La question, c'est de savoir pourquoi c'est mon billet précisément qui a gagné. Pourquoi moi, alors qu'il y avait tant d'autres concurrents? Je ne crois pas que ce soit dû au hasard. Tout ce qui arrive, arrive pour une bonne raison même si nous ne pouvons pas toujours la déterminer. Il existe des schémas généraux... Quelque chose détermine nos vies.

Leek prétend qu'il a toujours eu de la chance.

— Je ne me suis jamais tracassé pour l'avenir, reprend-il. Il me semble que tout finit toujours par s'arranger. C'est une des raisons pour lesquelles je n'ai jamais cherché à me "ranger", comme on dit.

Leek a été chanteur et comédien (cela se sent à sa façon de parler, douce et précise). Par la suite, il a été chauffeur de taxi, manoeuvre dans la construction, coiffeur.

— J'ai toujours pressenti qu'un grand changement allait se produire dans ma vie, à peu près à l'âge que j'ai. Je n'étais pas du tout pressé de m'établir de façon définitive. J'avais la certitude que quelque chose viendrait tout bouleverser. Et que ce changement déterminerait aussi le cours de ma vie.

— Aviez-vous l'impression de pouvoir prédire l'avenir? lui demandai-je.

— Dans un sens, oui! dit-il. Tillie et moi sommes un peu voyants.

— C'est vrai, ajoute Tillie. Quelques semaines avant le tirage, j'ai rêvé que je vivais avec un homme aux cheveux clairs et qu'il gagnait une énorme somme d'argent. C'est drôle, tout de même! Au début, je n'ai pas fait le rapprochement entre Eric et l'homme de mon rêve. C'est arrivé plus tard. Juste avant le tirage, j'avais le pressentiment qu'il allait gagner.

— A la fin, j'en étais sûr moi aussi, poursuit Leek.

Au début, il n'avait aucun pressentiment sur le résultat du tirage.

— Je ne pensais vraiment pas gagner quoi que ce soit. La loterie devait servir à financer le système d'éducation de l'Etat. J'ai acheté des billets parce que cela me paraissait une bonne cause. En quelques mois, j'en ai acheté une quarantaine. Chaque fois qu'il me restait un dollar, j'achetais un billet. Dans un premier temps, on tirait au sort les quarante-cinq finalistes qui auraient le droit de concourir pour le tirage du gros lot. Un jour, j'ai lu dans le journal que les noms de ces finalistes seraient rendus publics le lendemain. J'ai dit à un de mes amis que mon nom figurerait sans aucun doute parmi les lauréats. C'était un gag, mais en même temps ce n'en était pas un. J'ai commencé à penser que c'était vrai. Et ce l'était effectivement.

Alors est intervenu le chiffre 10. Leek considère le 10 comme son chiffre porte-bonheur.

— Je suis né à 10 heures, le dixième jour du dixième mois de l'année. Chaque fois qu'il m'est arrivé quelque chose d'heureux, il y avait le chiffre 10 pas très loin. J'ai rencontré Tillie le 10, par exemple...

La date du tirage final avait été fixée au 27 janvier. C'était en soi un bon présage. Les trois chiffres de la date (2, 7 et 1) additionnés donnaient un total de 10. Pendant le tirage lui-même, le chiffre 10 réapparut encore une fois, comme un heureux présage. Ce tirage avait lieu dans le grand auditorium d'un collège. La plupart des finalistes étaient présents. Tout avait été organisé pour faire durer le suspense le plus longtemps possible. La cérémonie était compliquée et théâtrale. A un moment donné, le nom de Leek se trouva en dixième position.

— Dès cet instant, dit-il, j'étais sûr de gagner.

Que compte faire Leek de tout son argent? Pour le moment, il a l'intention d'ouvrir un centre d'accueil pour les jeunes dans North Arlington.

— Je veux aider les enfants qui ont des problèmes. Ma chance personnelle, voyez-vous, va devenir la chance d'un certain nombre d'enfants que je n'ai pas encore rencontrés.

A-t-il l'impression que sa chance va durer? Jusqu'à présent, oui! Peu après le tirage, il est allé à Acapulco avec Tillie. A l'hôtel, sans le savoir, le préposé à la réception lui a donné la chambre qu'il aurait pu demander: le numéro 1010. De retour au New-Jersey, quelques semaines plus tard, il a assisté à une réunion de l'Association des coiffeurs. Comme il était devenu un personnage légendaire dans la région, on lui demanda de tirer au sort le gagnant de la loterie organisée à l'issue de la rencontre. Tous les noms se trouvaient dans une urne que l'on tenait plus haut que sa tête. Celui qu'il tira était le sien.

Jeannette Mallinson* est une secrétaire en chômage. Elle approche de la quarantaine. Elle est un peu plus grosse qu'il ne faudrait mais quand même très séduisante. Elle a des cheveux bruns et des yeux bleus. Nous nous sommes rencontrés à Washington, D.C. Elle était assise à côté de moi au comptoir d'un restaurant dans un drug-store. Elle parcourait la rubrique des "annonces classées" dans le journal, à la recherche d'un emploi.

— Je me retrouve toujours sans travail, dit-elle!

Mais elle ne semblait pas du tout s'apitoyer sur son sort. Au contraire, elle paraissait étrangement gaie.

— Il m'est arrivé de lire un article écrit par un psychologue. Il affirmait que les gens fabriquent leur propre malchance. Dans mon cas, ce n'est pas vrai, pas tout à fait du moins. J'ai eu beaucoup de malchance dans ma vie, plus que ma part. Quand je dis malchance, je parle d'événements qui échappent à mon contrôle. C'est le destin, je pense. On dirait que certaines personnes sont réglées pour être malchanceuses pendant un certain temps. Cela ne signifie pas que la malchance va durer toujours. En ce qui me concerne, par exemple, dès l'an prochain les choses vont aller mieux — et l'année d'après, tout va se passer comme je le veux.

— Comment le savez-vous?

— Mon horoscope le dit. Cela peut vous paraître de la superstition, mais écoutez! Si vous aviez eu autant de malchance que moi, vous commenceriez à vous poser de sérieuses questions. J'ai essayé de pratiquer la religion, mais sans résultat valable. Finalement, un ami m'a initiée à l'astrologie. J'ai été sidérée de constater combien l'astrologie est exacte. Je suis scorpion, mais Saturne et Mars ne me sont pas favorables. Ma carte du ciel comporte un tas d'autres complications. En fait, j'ai près de quarante ans et je n'ai connu que des problèmes. Mais cela tire à sa fin. Au lieu de m'en faire, je pense à

---

* Ce nom est un pseudonyme.

l'année prochaine. De toute façon, je réussirai à surmonter les problèmes de cette année. J'ai toujours réussi à m'en sortir...

Sa première vraie malchance, pour autant qu'elle s'en souvienne, remonte à l'époque où, encore enfant, elle habitait le Maryland. Au cours d'un pique-nique, quelqu'un alluma un feu avec du pétrole. Lorsqu'il jeta l'allumette dessus, le bois s'enflamma d'un seul coup et Jeannette fut gravement brûlée à la joue gauche. Il fallut recourir à la chirurgie esthétique pour effacer la plaie. Elle n'en a pas gardé de marque, sauf quelques cicatrices très fines.

— Quand j'étais jeune, la chirurgie esthétique en était encore à ses débuts. De toute manière, mes parents étaient pauvres. J'ai passé toute mon adolescence avec cette affreuse tache sur la joue. Vous connaissez la sensibilité des jeunes filles. Cette brûlure ne me défigurait pas tout à fait, mais j'étais persuadé que j'étais très laide. Aussi, je restais seule à la maison. Je n'acceptais pas de rendez-vous. Je ne sortais pas. Je vivais en ermite. On dit que le caractère de quelqu'un détermine sa chance. Moi, j'ai vécu le contraire. C'est mon destin qui a déterminé mon caractère. Ma brûlure à la joue a fait de moi un être solitaire, trop timide pour pouvoir regarder qui que ce soit en face.

Après son école secondaire, Jeannette a déménagé à Washington. Elle a commencé à travailler comme commis de bureau dans un ministère.

— Je n'ai jamais pu, tout au long de ma vie, garder le même emploi plus de trois ans. Il est toujours arrivé quelque chose qui a fait que l'on me mette à la porte. Quelques-uns de mes problèmes provenaient peut-être en partie de ma façon d'agir, mais... Tenez! Si je prends l'exemple de mon tout premier emploi! Quelqu'un, au bureau, avait volé le contenu de la petite caisse. Qui a-t-on accusé? Moi, bien sûr! Juste à cause de ma malchance. Quelqu'un m'a vu revenir après les heures de travail. J'étais revenue chercher une bouteille de shampooing que j'avais achetée et oubliée dans mon tiroir. Tout le monde a cru que c'était pour voler cet argent. C'est le genre de choses qui m'arrive constamment! Je parcours actuellement les petites annonces. Pourtant cela marchait très bien à mon dernier travail. Qu'est-il arrivé? Le gérant est parti et c'est une vraie sorcière qui l'a remplacé. Personne ne l'aime et elle n'aime personne. J'ignore pourquoi, mais c'est moi qui suis devenue son souffre-douleur préféré. J'y ai pensé et repensé: honnêtement, je ne vois pas ce que j'ai pu faire ou dire pour qu'elle me haïsse à ce point. Voilà! C'est le genre de choses qui m'arrivent: l'incompatibilité de caractère! La malchance dans toute sa platitude! Cette femme se comportait avec moi de façon tellement insupportable que je n'avais pas le choix: ou bien je partais, ou bien je me retrouvais à l'hôpital psychiatrique.

Jeannette a connu plusieurs hommes, mais toutes ses relations ont toujours mal tourné. Elle s'est mariée à vingt-deux ans. Après trois ans, son mari l'a quittée et lui a laissé la charge de leurs deux petits garçons. Un peu avant trente ans, elle a fait la connaissance d'un autre homme, nommé Arthur. "Il était exactement celui qu'il me fallait, dit-elle... Notre relation était parfaite." Les deux garçons de Jeannette ne l'agaçaient pas. Au contraire, ils l'amusaient. Arthur avait l'intention de l'épouser. Une semaine avant le mariage, la mère de Jeannette est tombée gravement malade. Jeannette a dû reporter tous ses projets et s'est occupée de la vieille femme pendant des mois. Au bout d'un certain temps, il est devenu évident que sa mère resterait impotente pour le reste de ses jours. Jeannette devrait donc s'en occuper ou bien l'envoyer dans un hospice pour vieillards. La perspective de vivre avec la mère de Jeannette ou d'avoir à payer les notes de l'hospice semble avoir refroidi considérablement le bel enthousiasme d'Arthur. Ils ont discuté du problème, Jeannette et lui, pendant des semaines. Elle a réussi plus ou moins à le convaincre. Il a fini par retarder simplement la date de leur mariage. Mais c'est alors qu'une autre malchance est arrivée. Un des fils de Jeannette a soudainement eu une crise à l'école. Le médecin diagnostique l'épilepsie — une épilepsie difficile à soigner. Il faudra de fréquentes visites médicales et des médicaments très coûteux. Arthur a disparu sans demander son reste.

— Mon second fils fait de l'asthme, dit Jeannette comme si cela allait de soi, comme si, de toute évidence, il ne pouvait en être autrement. J'ai six mois de retard dans le réglement de mes comptes de médecin et des frais de médicaments. Je n'ai pas payé mon loyer depuis deux mois. J'avais une télévision, ils sont venus me la reprendre le mois passé... Certaines personnes ont de la chance, soupire-t-elle, et d'autres pas. Il n'y a rien d'autre à faire qu'attendre que cela passe. Si les étoiles ne vous sont pas favorables, il n'y a pas moyen d'y rien changer.

Sherlock Feldman était un joueur professionnel. Jusqu'à sa mort, survenue récemment, il a consacré son temps à étudier la chance — ou plus précisément, à étudier les théories des autres sur le sujet. Il s'était fait le chroniqueur enthousiaste de tout ce qui avait trait à la chance. Gérant de casino aux "Dunes", un des clubs connus de Las Vegas, il passait ses jours et ses nuits — surtout ses nuits — à regarder les gens jouer avec l'essence même de la chance — des gens qui préféraient jouer plutôt que de dormir.

Tout ce qui avait quelque rapport avec Sherlock Feldman était énorme: son ventre l'était, son nez l'était, ses grosses lunettes noires, son sourire et aussi son appétit de vivre. Sa tolérance était sans borne, également. Il écouta patiemment et avec sympathie les uns et les autres développer leurs théories sur la chance, et les absorba toutes; et finalement quand il se sentit capable de proposer la sienne, il y alla tout aussi gentiment.

— Vous me demandez ce qu'est la chance, me dit-il un jour. Je devrais vous répondre que je l'ignore. Des gens se présentent ici avec toutes sortes de choses: des trèfles à quatre feuilles, des thèmes astrologiques, des numéros porte-bonheur. Ils s'imaginent que les fétiches influencent leur bonne fortune. Peut-être certains ont-ils effectivement des numéros chanceux, et peut-être est-ce même une définition possible de la chance. Les gens qui ont de la chance sont ceux-là pour qui les numéros chanceux marchent. Mais, selon moi, c'est le hasard qui est responsable de la chance.

Feldman connaissait d'étranges histoires, pourtant — des histoires, il l'admettait lui-même, qu'il était incapable d'expliquer logiquement. Quelques-unes de ses histoires préférées portaient sur ceux qu'il appelait les "perdants-nés". Cette notion, d'après son propre aveu, semblait infirmer sa propre théorie.

— Si le hasard est responsable de la chance, nous devrions tous avoir des chances équivalentes. Nous devrions tous connaître de bonnes et de mauvaises passes. Les "perdants-nés" ne devraient pas *exister,* tout au moins dans le cas des purs jeux de hasard comme la roulette, par exemple. Mais il existe certaines personnes qui gagnent, d'autres qui gagnent parfois et certains qui ne gagnent jamais, jamais. Pourquoi? Si un jour vous le découvrez, venez me le dire!

Feldman faisait un soir le tour de son casino quand son regard averti tomba sur un homme qui ne semblait pas un habitué.

— Plutôt petit, quarante-cinq, cinquante ans, il avait l'air triste. Il portait une chemise sport et se touchait souvent le cou comme s'il cherchait la cravate qu'il semblait avoir l'habitude de porter. Il était debout, seul, et il regardait la foule agglutinée autour de la table de roulette. Je me suis approché de lui pour le saluer. Je ne pensais pas qu'il était en train de préparer un mauvais coup ou quoi que ce soit mais, dans mon métier, il vaut mieux être curieux, vous savez!

L'homme en question semblait content que quelqu'un lui adressât la parole. Feldman et lui bavardèrent ensemble quelques minutes. Il tenait une mercerie dans une petite ville du Middle-West. Sa femme et lui passaient quinze jours de vacances à Las Vegas. Sa femme était partie avec une amie assister à un spectacle. Il était donc seul pour la soirée.

— J'aurais eu honte de me montrer, dit-il, si les gens, à mon retour, avait appris que j'étais allé à Las Vegas, sans mettre les pieds dans un casino. C'est pourquoi je me suis arrêté et suis venu voir.

— Il y a de la place à la table de jeu, si vous voulez tenter votre chance, dit Feldman.

— Oh! Mon Dieu! Non! Je n'ai pas à tenter ma chance. Je sais d'avance que je n'en ai pas. Je n'ai jamais rien gagné de ma vie, pas même un bouton de culotte. Je perds à tout coup!

Feldman hocha la tête amicalement et s'apprêta à prendre congé. Son interlocuteur vit alors quelqu'un qui laissait tomber un billet de cinq dollars. Il traversa la foule et cria au croupier: "Il y a cinq dollars sous le siège!"

A cause du bruit et de la confusion, le croupier comprit: "cinq dollars sur le seize!" Il s'imagina que le mercier voulait les miser. Il mit donc un jeton pour lui sur le seize. Il fit tourner la roulette et la petite boule d'ivoire s'immobilisa sur le "seize". Le mercier venait de gagner 175 dollars.

Le croupier poussa la pile de jetons sur la table en direction de notre homme, trop étonné pour réagir. Abasourdi, il laissa les jetons là où ils se trouvaient: sur le carré "rouge". La roulette se remit à tourner. Et le rouge sortit. Les 175 dollars se transformèrent en 350 dollars.

Feldman ramassa le billet de cinq dollars sur le plancher et le remit à la joueuse qui l'avait perdu. Il donna une tape sur le dos du mercier. "Après tout, votre chance n'est pas si mauvaise que ça", dit-il.

— Je n'en crois pas mes yeux, répondit l'autre. Cela ne m'est jamais arrivé! Je n'ai jamais gagné. Si, à un jeu quelconque, les probabilités de perdre sont pour les autres de 50%, moi je perds à tout coup. C'est automatique. Je jouais au poker à la maison avec des copains. Ils avaient fini par m'appeler "la finance". J'étais toujours sûr de faire les frais de la partie.

— Cela semble être votre soir de veine, dit Feldman. On dirait bien que la chance a fini par tourner. Pourquoi ne pas continuer?

Et le mercier se laissa tenter. Il continua de gagner. A la fin, la valeur de sa pile de jetons montait à plus de cinq mille dollars. La tension nerveuse était si forte qu'il ne put la supporter plus longtemps. Il décida d'empocher ses gains et de s'en aller.

Mais sa mystérieuse malchance ne l'avait pas encore lâché.

Les maisons de jeu, à Las Vegas comme partout ailleurs dans le monde, semblent souvent très désinvoltes dans leur façon de tenir les paris et de faire crédit. Mais sous cette apparente désinvolture se cachent certaines règles de fer. Une des règles les plus rigoureuses — et qui ne souffre aucune exception — porte sur la façon d'annoncer une mise. Il est possible à un joueur de miser sans déposer de suite son argent sur le tapis. Si le croupier lui trouve une tête sympathique, il pourra lui avancer un jeton ou deux pour la partie. Mais à la fin, avant d'empocher ses gains, le joueur doit payer la mise initiale. Même s'il gagne, il doit montrer qu'il avait assez d'argent sur lui pour commencer à miser. S'il ne peut produire la somme requise, la banque refusera de lui payer ses gains. Le croupier s'excusera mais il restera inébranlable. Dans le cas du mercier, on lui avait lancé un jeton de cinq dollars, cela semblait facile à rembourser. Pour recevoir ses cinq mille dollars, il n'avait qu'à montrer qu'il avait cinq dollars sur lui.

Il sortit son porte-feuille et commença à fouiller dedans. Son sourire se figea. Il changea de visage, puis se mit à faire une tête d'enterrement. Sa femme avait pris tout son argent et avait omis de le lui dire. Son porte-feuille était vide...

Il faudrait probablement s'arrêter un peu et essayer de clarifier ce que l'on veut dire par "chance". C'est un joli petit mot, mais il est chargé de tout un fatras émotif, philosophique, religieux et même mystique. Il en existe une bonne douzaine de définitions. Chacune correspond à une conception différente de la vie. Chacune, si l'on insiste suffisamment, peut aboutir à de grossières querelles avec des hommes et des femmes qui envisagent la vie d'une autre façon et, donc, qui se rallient à d'autres définitions de ce même mot.

Les dictionnaires ne sont pas, dans le cas qui nous occupe, d'un très grand secours. La définition que donne chacun du mot "chance" est contestable, parce que fonction d'une philosophie très subjective. Pour le Petit Larousse, la chance est "la manière dont un événement peut tourner, hasard". Pour certains, cette définition est excellente et complète, pour d'autres, non! Selon ces derniers, la chance est plus que le fait du hasard. Le Petit Robert semble plus mystique: "Puissance qui préside au succès ou à l'insuccès." Puissance? Quelle puissance? Le Webster, dictionnaire anglais bien connu, précise:" "Force sans but, imprévisible, incontrôlable qui détermine le cours des événements de façon favorable ou défavorable pour un individu, un groupe d'individus ou une cause donnée." Les personnes qui ont la foi vont s'exclamer et prétendre le contraire. Pour elles, cette force n'est pas sans but! Les fanatiques de l'astrologie, des phénomènes parapsychologiques vont prétendre, quant à eux, qu'elle n'est pas imprévisible! Et bon nombre de joueurs invétérés — à Las Vegas ou à Monte-Carlo — vont affirmer, pour leur part, que cette force n'est pas nécessairement incontrôlable!

J'ai cherché une définition à laquelle tout le monde puisse adhérer — une définition qui rende compte des faits et qui laisse de côté explications et analyses. Alors voilà: chance: événement qui influence la vie de quelqu'un et qui semble échapper à son contrôle.

Ma définition est intentionnellement vague; elle devrait satisfaire à la fois ceux qui pensent que la chance est le simple flux et reflux d'événements dus au hasard; ceux qui, estimant qu'il s'agit d'autre chose que d'un simple hasard, sont convaincus qu'il y a là certaines forces explicables, scientifiquement et rationnellement; et ceux, enfin, qui croient que la chance obéit à un certain ordre occulte et extérieur à l'être humain: les astres, les nombres, certains charmes, certains fétiches, les pattes de lapin, les trèfles à quatre feuilles, Dieu...

La définition qu'on donne de la chance dépend de la vie personnelle de chacun. Cela n'a pas beaucoup de sens de mettre en doute la définition qu'en donne quelqu'un d'autre, pas plus que de discuter avec lui de son histoire personnelle. Ce livre ne veut engager de polémique avec personne. Je vais parler à des hommes et à des femmes qui ont différentes croyances. Je vais écouter leurs histoires et leurs explications et, chaque fois que cela semblera utile, je tâcherai d'examiner de plus près ce qui peut paraître un défaut de logique — mais très, très gentiment et avec la plus grande humilité. Je veux simplement savoir ce que les hommes et les femmes pensent de la chance et comment ils essaient de vivre leur croyance. Au cours de cette enquête, nous allons rencontrer de nombreuses philosophies étranges de prime abord et bon nombre de personnes également étranges et fascinantes.

Mon but ultime est de déterminer s'il existe des différences concrètes entre ceux qui ont toujours de la chance et ceux qui n'en ont jamais. Ceux qui ont de la chance posent-ils certains gestes que ne posent pas les malchanceux? Ceux qui ont de la chance ont-ils toujours la même conception de la vie? Ont-ils en commun certaines façons de penser ou d'agir? Ces choses peuvent-elles s'apprendre? Peut-on les inclure à l'idée que l'on se fait personnellement de la chance, même si on en a une conception particulièrement pragmatique ou occulte, ou encore si sa conception personnelle se situe quelque part entre les deux?

A toutes ces questions, je réponds: oui

"Ce sont les gens superficiels qui croient en la chance", a dit Ralph Waldo Emerson, il y a près d'un siècle. De toute évidence, sa vision de la chance était étroite. Il en parle comme d'un phénomène mystique ou métaphysique: quelque chose qui n'arrive pas par hasard, mais une force, un agent, une puissance qui fait agir les gens de façon mystérieuse, mais selon un certain ordre.

Si j'applique la phrase d'Emerson à ma propre définition de la chance, beaucoup plus large (événement qui influence nos vies et semble échapper à notre contrôle), son constat n'a pas de sens. Si l'on définit la chance comme je l'ai fait, parler d'y croire ou de ne pas y croire équivaut à parler de croire ou non à l'existence du soleil. Le soleil existe, la chance aussi. Certains événements extérieurs influencent la vie de *tout un chacun*. Il n'existe aucun homme, aucune femme, aucun enfant qui contrôle complètement sa vie. Nous sommes tous la proie de l'imprévu, de l'inattendu, de l'imprévisible. Parfois, il nous arrive d'avoir de la chance et parfois nous sommes victimes de notre malchance — mais la chance est toujours un élément dont il faut tenir compte. Elle joue un rôle dans la vie de chacun, et souvent le rôle principal.

Il est un peu effrayant de s'arrêter pour réfléchir sur l'influence de la chance sur le destin et l'existence même de certaines personnes. J'existe aujourd'hui parce qu'il y a bien des années, à Londres, un jeune homme a pris froid. Il travaillait dans une banque de la capitale. Le dimanche, quand il faisait beau, il aimait pique-niquer à la campagne ou se baigner sur une des plages de La Manche. Un dimanche de printemps, accablé par un mauvais rhume, il décida de rester à la maison. Il habitait un pauvre meublé près de son travail. Un ami arriva et l'invita à une surprise-party. Il y rencontra une jeune femme. Ils tombèrent amoureux l'un de l'autre et se marièrent. C'étaient mon père et ma mère.

Près d'un quart de siècle plus tard, une autre jeune femme vint un beau jour à New York pour se trouver un emploi. Elle avait envie de travailler au service du personnel d'une université. Elle passa l'entrevue et attendit ensuite plus d'une semaine. Comme elle n'avait pas de nouvelles et que ses fonds commençaient à baisser, elle accepta à contrecoeur un autre emploi, moins attrayant, pour un magazine. Quelques jours plus tard, l'université lui téléphona pour lui offrir le poste qu'elle convoitait. La décision avait été retardée, semble-t-il, à cause de délais administratifs et à cause d'une série de circonstances assez banales, dont la grippe d'un des responsables (ce qui l'avait obligé à rester alité quelques jours). La jeune femme réfléchit à cela toute la journée et finalement, en partie par inertie et en partie parce qu'elle se sentait moralement obligée de rester, elle déclina l'offre et décida de continuer à travailler pour le magazine qui l'avait engagée. Peu après, j'y fus engagé moi-même comme rédacteur. Je rencontrai cette jeune femme, j'en tombai amoureux et nous nous mariâmes. Nos trois enfants n'existeraient pas aujourd'hui si un obscur cadre d'université n'avait pas, fort à propos, attrapé la grippe.

Et c'est ainsi que cela fonctionne. En racontant ces anecdotes, on peut parler du Sort, ou du Destin, ou dire (comme je le préfère) que ces anecdotes n'illustrent rien d'autre que l'influence sans *pattern* déterminé d'événements dûs au hasard. Chaque interprétation entre dans la définition — très large — de la chance. C'est s'illusionner que de croire que l'on exerce sur sa propre existence un contrôle rigoureux, précis, ou que l'on parvient à orienter, à planifier sa vie à volonté.

La chance frustre et déroute bien des êtres extrêmement intelligents, comme Emerson par exemple. La chance, en effet, est l'insulte suprême à la raison. Il est impossible de l'ignorer, mais il est également impossible de rien planifier à son propos. Il n'y a rien à faire qu'à attendre et se rendre compte que la chance influence continuellement la vie. Il n'y a pas moyen de déterminer la forme qu'elle prendra, ni même de savoir si on en sera plus triste ou plus gai ou simplement fâché, plus riche ou plus pauvre, déprimé, heureux ou indifférent.

Il n'y a même pas moyen de savoir si cela vous laissera en vie ou si cela vous tuera.

L'esprit humain essaie toujours de tout ordonner. La chance provoque immanquablement le désordre. Peu importe avec quels soins et quelle clairvoyance, on entreprend de planifier sa vie, la chance va vraisemblablement venir bouleverser tous les plans. Si votre chance est bonne, n'importe quel projet, même le plus farfelu, va marcher. Si vous êtes malchanceux, rien ne fonctionnera. La chance, en définitive, comporte un aspect extrêmement frustrant. Il faut en tenir compte — et, en même temps, il est impossible d'en tenir vraiment compte — quand on dresse des plans.

On peut faire les plus grands efforts pour s'améliorer soi-même. Tous ces efforts restent vains, si on n'a pas en même temps un peu de chance. On peut être courageux, persévérant, avoir toutes les vertus que recommande la morale religieuse, être humble, faire preuve d'amour envers autrui, avoir tous les traits de caractère qu'admirent les poètes, mais à moins d'avoir aussi de la chance (Jeannette Mallinson vous le dirait) rien de tout cela ne pourra vous aider vraiment. On peut étudier, comme Machiavel, certaines tactiques secrètes. On peut apprendre comment atteindre le pouvoir. On peut apprendre à intimider les gens, à devenir un meneur d'hommes, à leur dire non sans se sentir coupable, à les charmer, à les hypnotiser. On peut apprendre comment vendre des bouillottes sur la ligne de l'équateur. Ou, à l'inverse, apprendre à vivre en paix avec soi-même, apprendre à prier, à méditer, trouver le calme intérieur, vivre en accord avec Dieu et l'Univers. Peu importe la technique de développement de la personnalité que l'on choisit, il est fort possible qu'elle sera efficace. Mais pour réussir vraiment, il y a un facteur dont il faut tenir compte. Un facteur que les instructions et les modes d'emploi passent souvent sous silence: et c'est le facteur chance! N'importe quel programme de développement personnel fonctionne bien — à condition d'avoir de la chance!

Un opérateur IBM de mes connaissances pratiquait la méditation transcendantale dans les toilettes de l'édifice où se trouvait son bureau. C'était le seul endroit où il trouvait assez de calme pour le faire. Un jour, il se mit à répéter son mantra, mais une tuile se détacha du plafond et lui tomba sur la tête. Effrayé, il fit un bond. Ses clés d'auto tombèrent de sa poche arrière dans le cabinet. Il se baissa pour les repêcher mais il était tellement surpris qu'il ne fit pas attention où il s'appuyait. Or c'était sur la poignée de la chasse d'eau. Et les clés disparurent!

Si on n'a pas un peu de chance, rien, absolument *rien* ne marche. Il serait fantastique de parvenir à contrôler cet élément puissant qu'est la chance — ou alors de la contrôler mieux que ne le font la plupart d'entre nous. Ce serait fantastique s'il existait des techniques pour dominer la chance, comme on en a pour tout le reste.

S'il n'en existe pas, ce n'est pourtant pas faute d'avoir essayé! Depuis l'époque où les premiers hommes imploraient leurs dieux de leur envoyer la pluie, de leur accorder une bonne chasse et d'autres choses favorables, de nombreuses religions ont été, du moins en partie, des tentatives pour contrôler la chance. Aujourd'hui encore, des gens prient pour obtenir les bienfaits du ciel, transportent des médailles de saint Christophe pour éviter les accidents, cherchent des guides spirituels qui puissent les conseiller sur la meilleure façon d'agir. De la même manière, presque toutes les sciences occultes essaient de contrôler l'incontrôlable — ou, comme l'astrologie, essaient de s'y préparer en prédisant quelle sorte de chance est sur le point d'arriver.

L'existence même du mot un peu snob "superstition" démontre que les gens ne s'entendent pas sur les forces occultes qui peuvent ou non contrôler nos vies. "Superstition", cela veut dire "n'importe quelle croyance religieuse, mystique ou occulte en laquelle je ne crois pas". Ce qui, pour moi, est superstition peut être religion pour vous, et vice-versa. Le problème, avec toutes ces façons d'aborder la question, c'est qu'aucune n'améliore la chance et qu'on n'a jamais pu démontrer, de façon satisfaisante, l'efficacité de telle ou telle méthode. Il en est qui marchent pour certaines personnes. Cependant, tout le monde n'est pas disposé à les essayer.

Il serait bon qu'il y ait des façons de contrôler la chance qui ne relèvent pas des forces occultes — des méthodes qui ne relèvent pas des forces occultes — des méthodes dont l'efficacité puisse être prouvée de façon pragmatique. Et il en existe.

Depuis le milieu des années 1950, quand la chance est tombée brusquement dans ma vie comme un météorite venu de nulle part (du moins, je le croyais alors) et en a radicalement changé le cours, je suis un collectionneur passionné d'anecdotes et de théories sur la chance.

Depuis lors, comme j'étais journaliste, j'ai interviewé plusieurs centaines d'hommes et de femmes. Chaque fois que j'interviewais quelqu'un, j'en profitais pour lui demander ce qu'il pensait de la chance, s'il en avait, s'il essayait de la contrôler. J'ai porté une attention particulière aux gens extraordinairement chanceux autant qu'à ceux dont la malchance est tout aussi spectaculaire. Je me suis demandé ce que faisaient les enfants chéris de la chance que ne faisaient pas les autres, et surtout ce que ne faisaient pas les malchanceux notoires. Et s'il était possible de changer la chance de quelqu'un en le transformant ou en aménageant son environnement.

Eh bien! c'est possible! Et c'est précisément ce dont traite ce livre. Quand on sait comment s'y prendre, il y a moyen d'exercer un contrôle — certes limité, mais néanmoins réel — sur sa chance personnelle (peut-être pas de façon aussi détaillée et précise que le prétendent certains mystiques ou certains maîtres des sciences occultes — quoique je vous exposerai également leurs théories). De toute manière, avec ou sans l'aide de pouvoirs invisibles, vous pouvez agir de façon à augmenter considérablement votre bonne fortune et à diminuer le risque d'être malheureux.

Il existe des différences considérables entre le comportement des gens qui ont vraiment de la chance et celui des personnes qui n'en ont absolument pas. En général, à quelques exceptions près, les gens chanceux ont une attitude identique devant la vie et ont tous effectué en eux-mêmes certains changements d'ordre psychologique. J'appelle cette série de traits et d'attitudes: *l'ajustement à la chance.*

J'ai fait cet ajustement en moi et autour de moi. Il produit des effets agréables. Mes amis disent que je suis chanceux et c'est vrai: je le suis! Cependant, je suis persuadé d'avoir de la chance non seulement parce que je suis chanceux, mais aussi en partie parce que je sais ce qu'il faut faire pour l'être. Si ma bonne fortune et la vôtre tiennent le coup pendant quelque temps encore, à la fin de ce livre l'ajustement à la chance n'aura plus de secret pour vous et vous sera utile à vous aussi.

Nous avons un voyage fascinant en perspective! Nous allons commencer par explorer le domaine de la chance et par examiner ce que les gens en font et en pensent. Les jeux de hasard sont basés sur la chance dans sa forme la plus simple, la plus immédiate. Nous allons donc étudier la chance et la malchance des joueurs et essayer d'en tirer quelques conclusions. Nous traiterons également de ceux qui spéculent à la bourse et d'autres personnes qui défient le sort dans leur vie quotidienne. Nous verrons enfin des gens ordinaires, des "monsieur et madames tout-le-monde", qui ne se considèrent pas comme des joueurs, mais qui le sont en réalité, comme tout un chacun.

Suivez-moi. Croisez les doigts, embrassez vos porte-bonheurs. Nous allons nous aventurer dans un étrange territoire. Nous allons prendre connaissance de faits qui dépassent notre faculté de croire ou de comprendre. Et, peut-être, en fin de compte, allons-nous revenir de notre périple avec plus de questions que de réponses. Cependant, avec un peu de chance, nous en reviendrons un peu plus sages et plus avisés.

2. DEUX VIES

Issur Daniélovitch et Charlie Williams* sont nés pendant la première guerre mondiale à New York, dans le quartier défavorisé d'Amsterdam. A première vue, leur chance de réussir ou d'échouer dans la vie était identique. Leurs pères étaient des travailleurs immigrés. Chacune des deux familles vivait au seuil de la pauvreté. Les deux garçons ont vécu dans le même univers, ont été exposés aux mêmes influences, ont été emportés par les mêmes raz-de-marée sociaux. Ils étaient à l'école secondaire pendant les années 1920. La crise les a touchés quand ils étaient adolescents. Puis, devenus jeunes gens, ils ont été entraînés dans le tourbillon de la deuxième guerre mondiale. Ils ont connu la prospérité de l'après-guerre. Ils ont mûri pendant que les Etats-Unis, satisfaits, passaient au travers des années 1950, vivaient les années 1960 traversées d'éclairs et d'orages et abordaient avec prudence les années 1970.

Issur et Charlie sont maintenant des hommes d'âge mûr. Ils ont été créés égaux, mais n'ont pas fini égaux. Les amis de Charlie Williams le surnomment Gros Nez. Il est un des clochards de la Bowery.* Le monde entier connaît Issur Daniélovitch. Mais sous le nom de Kirk Douglas. Il est millionnaire et vedette d'Hollywood.

---

* Il s'agit de pseudonymes.

---

* Rue mal famée de New York, "avenue de la misère" — N.D.T.

Il est très instructif d'étudier en parallèle la vie de ces deux hommes. Il y a vingt-cinq siècles, Héraclite notait que le caractère de quelqu'un est aussi son destin. Depuis, plusieurs millions de romans et d'oeuvres théâtrales ont tenté de confirmer la véracité de cette remarque. Ils n'y ont pas toujours réussi. En fait, la phrase d'Héraclite n'est vraie qu'en partie. Le caractère détermine le destin mais le destin détermine aussi le caractère. Le cheminement d'un homme ou d'une femme à travers les dédales de l'existence est conditionné en partie depuis l'intérieur de son être: son courage, sa vitalité, sa ténacité, sa capacité de garder espoir et de rêver.

Kirk Douglas et Charlie Williams sont l'un et l'autre devenus ce qu'ils sont, en partie à cause d'eux-mêmes et en partie à cause d'une série de circonstances qui semblent avoir échappé à leur contrôle. Ce sont deux biographies où la chance et le caractère s'entremêlent.

J'ai rencontré Charlie Williams pour la première fois en 1968. Une revue m'avait commandé un article sur la chance. Je me suis rendu à New York dans le quartier de la Bowery, un endroit si monumentalement hideux qu'il en acquiert un certain charme surréaliste. J'ai été directement au Majestic. Une douzaine d'hommes tapageurs et éméchés, accoudés au comptoir, buvaient du mauvais vin à quinze sous le verre. La majorité d'entre eux avait dépassé la quarantaine. Je m'y attendais. Bowery est un endroit où se ramassent les épaves et les perdants. L'esprit humain est solide. Il faut des années de coups durs pour transformer un homme en un perdant.

J'avais à peine franchi la porte du Majestic que quelques buveurs se sont précipités sur moi pour mendier dix ou vingt-cinq sous. Le barman leur a crié: "Eh! les gars! pas de mendiants ici! Allez dehors! Allez mendier sur le trottoir!" Je lui ai dit de ne pas s'en faire et j'ai payé une tournée générale. Cela a provoqué un certain remue-ménage autour du bar. Finalement, quand j'ai réussi à obtenir l'attention de tout le monde, j'ai expliqué que j'étais journaliste, que j'avais à rédiger un article sur la chance et que je voulais trouver un homme né la même année qu'un millionnaire célèbre.

Cela a semblé les étonner. Ceux qui n'étaient pas trop saouls se grattaient la tête comme si cela devait les aider à mieux réfléchir. Ils flairaient bien sûr la bonne affaire. "Une fois, j'ai pris le même train que le président Roosevelt", m'a crié un homme plein d'espoir. Un autre m'a raconté une histoire à propos de sa belle-mère et du sénateur Taft. Et finalement, un petit homme, debout à mes côtés, m'a demandé si Kirk Douglas faisait mon bonheur.

Le bonhomme avait un visage très laid mais sympathique. Son nez était tout à fait disproportionné, mais il souriait largement. Ses vêtements usés étaient propres. Ils avaient perdu leur couleur à cause des trop nombreux lavages. Un de ses souliers, pour éviter que la semelle ne tombe, était rafistolé avec du ruban adhésif comme en emploient les électriciens. Il était bien rasé. Ses cheveux bruns, minces, étaient soigneusement coiffés. Ses ongles étaient bien coupés et parfaitement propres. De toute évidence, cet homme continuait de prendre soin de lui-même en dépit du fait qu'il avait connu bien des malchances dans la vie.

Je lui apportai quelques sandwiches et écoutai son histoire. Charlie Williams est né en 1917, un an avant Kirk Douglas. Son enfance à Amsterdam lui avait plu. Il était bon en classe, et surtout en mathématiques.

La première malchance notoire dont Williams se rappelle survint quand il avait environ douze ans. Son père ayant entendu parler d'un meilleur emploi à Providence, Rhode Island, toute la famille y avait déménagé.

— Pour mon père, cela semblait un coup de chance car il avait un salaire légèrement plus élevé. En ce qui me concerne, ce fut un coup de malchance. Jusque-là, j'avais été heureux en classe. Je ne l'ai plus jamais été par la suite, dans aucune des écoles de Providence. Je suis tombé sur de mauvais professeurs...

Il y en avait même un qui commença à se moquer de son nez qui grossissait à mesure que ses jeunes os se formaient. Le visage et le corps sont des éléments difficilement contrôlables et ils peuvent profondément influencer la vie d'une personne. Les hommes et les femmes favorisés par la nature ne sont pas automatiquement supérieurs aux autres, mais ils possèdent un atout personnel supplémentaire dont ils peuvent se servir. Le visage de quelqu'un détermine en partie sa bonne fortune.

Adolescent, Charlie Williams perdit tout son optimisme. Un professeur stupide lui disait des choses comme: "Qu'est-ce qui t'est arrivé, Charlie? Tu n'as pas pu lire tes leçons? Ton nez était dans le chemin?" Les enfants ont commencé eux aussi à se moquer de lui, à l'instar du professeur. Il était exclu du groupe. On l'appelait Charlie-nez-pointu. Tout le monde riait de lui.

— Un enfant, ça le dérange! J'ai échoué à l'école. Je suppose que j'avais, comment dire? la psychologie du perdant. Je faisais mes premiers pas dans la vie mais j'étais déjà fichu.

Il détestait tellement l'école qu'il abandonna ses cours. Il travailla d'abord comme valet de ferme puis comme poseur de rails de chemin de fer et enfin comme conducteur d'autobus scolaire.

— J'ai bien essayé d'avoir de meilleurs emplois, dit-il, mais le mot *"perdant"* devait être écrit sur mon visage. C'était comme ça. Je postulais un emploi tout en étant sûr de ne pas l'avoir. Je me disais que l'interviewer perdait son temps. J'étais sûr qu'il ne me donnerait pas le poste.

C'est à cette époque que Charlie vécut avec une femme. Elle passa quelques jours avec lui dans sa petite chambre d'hôtel. Puis elle disparut avec le peu d'argent qu'il possédait. Il n'a d'ailleurs jamais très bien compris pourquoi elle avait volé la clé de son autobus scolaire. Le lendemain matin, comme il ne pouvait pas faire la tournée habituelle et ramasser les enfants, il fut mis dehors.

En 1939, la malchance de Charlie parut cesser. Il trouva du travail dans une petite entreprise de camionnage comme conducteur Charlie s'entendait à merveille avec le propriétaire de l'affaire, un vieil homme qui voulait se retirer. Il tenait cependant à ce que son commerce continuât à fonctionner et à lui rapporter quelque revenu. Comme il n'avait pas de fils, il avait quasiment adopté Charlie. Il pensait laisser le commerce au jeune homme et en faire son associé. Williams entrevoyait enfin la possibilité de s'en sortir! Depuis des années, rien n'avait réussi à l'enthousiasmer autant. Il étudiait méticuleusement les livres comptables de la petite entreprise. Il se documentait sur l'industrie du transport routier. Il projetait de suivre des cours de comptabilité.

— J'étais sur le point de devenir un homme d'affaires! Je me disais: "Cette fois, ça y est, *je m'en suis sorti!*" J'aimais cette entreprise. J'étais certain d'y consacrer le meilleur de moi-même et d'en faire grossir les profits. Je me voyais déjà patron d'une grosse boîte.

Mais le destin avait d'autres plans! Les Etats-Unis entrèrent en guerre. Charlie Williams fut enrôlé avec les toutes premières recrues. Quand il revint à la vie civile, vers le milieu des années quarante, la petite entreprise de camionnage et son propriétaire avaient tous deux cessé d'exister...

Charlie fit alors trente-six métiers. A l'armée, il avait pris goût au whisky, mais en ce temps-là, il buvait encore modérément. Il eut un autre coup de chance quand la compagnie Firestone l'engagea comme préposé à l'entretien. En cette période de l'immédiat après-guerre, les projets d'expension de la Firestone — comme ce fut le cas pour plusieurs grosses compagnies de l'époque — étaient freinés à cause du manque de main-d'oeuvre spécialisée. La compagnie avait mis sur pied un programme intensif d'éducation et de recyclage pour ses employés. Firestone sélectionnait certains de ses ouvriers non spécialisés pour les envoyer à l'école, leur mettre le pied à l'étrier et les initier à un métier qui, pour certains, devint par la suite une carrière extrêmement lucrative. Charlie Williams avait été choisi. Il avait peu d'instruction mais était extrêmement intelligent. Firestone lui fit d'abord suivre un entraînement comme mouleur de pneus. Il était question de l'envoyer à l'école du soir pour compléter ses études secondaires puis, peut-être, de l'inscrire à un cours pour devenir technicien chimiste. "Encore une fois, j'ai pensé que j'allais enfin m'en sortir."

Encore une fois, il se trompait! La malchance ne l'avait pas encore lâché. Un samedi soir, le volant de sa vieille Buick 1938 lui resta dans les mains.

— Je roulais sur une route de campagne du New Jersey. Il n'y avait qu'une seule maison dans les environs avec seulement de grands champs tout autour. L'auto aurait pu aller dans n'importe quelle direction. Cela n'aurait pas porté à conséquence. Mais qu'est-il arrivé? Maudit! L'auto a foncé droit sur la maison. Tu parles d'une déveine! Droit sur la maison comme si une main invisible la conduisait. J'ai défoncé le mur du garage, et le toit de ce maudit garage m'est tombé dessus.

Charlie n'était pas trop gravement blessé, mais sa carrière était sérieusement compromise. Il avait un peu bu mais, s'empresse-t-il de préciser, très peu.

— Je crois que j'avais trois verres de bière dans le corps, et c'est tout!

Il fut accusé d'ivresse au volant. Personne ne voulut croire que son volant l'avait lâché. La voiture était trop endommagée pour qu'il pût prouver quoi que ce fût. Il n'était pas assuré. Le propriétaire du garage le poursuivit. Tout le salaire de la Firestone y passa.

Et c'en était fini de sa brillante carrière. Il continua de vivre au petit bonheur la chance. Un jour, en 1950, toujours chômeur et crevant de faim, il passa devant un bureau de recrutement de l'armée. La perspective d'avoir un toit, un lit, trois bons repas par jour et la possibilité d'apprendre un nouveau métier lui souriaient.

— Cela me paraissait idéal; je me disais qu'en temps de paix un soldat a peu de chance de se retrouver avec une balle dans le ventre. Je me disais également qu'il y a moyen de gagner sa vie dans l'armée aussi bien que n'importe où ailleurs.

Charlie s'enrôla donc en temps de paix. C'était le 15 juin 1950. Dix jours plus tard, il s'est aperçu qu'il venait de commettre une grossière erreur. Le 25 juin, l'armée nord-coréenne franchissait le trente-huitième parallèle et, à l'improviste, envahissait la Corée du Sud. L'armée des Etats-Unis, quelques semaines plus tôt si calme et si tranquille, fut tout à coup sur un pied de guerre. Moins de quelques mois plus tard, Charlie Williams se retrouvait en Corée au plus fort de la bataille.

— C'est à ce moment-là que je me suis dit que rien de ce que j'entreprenais n'avait la moindre chance de réussir. Je me suis dit: à partir de maintenant, je m'en fiche. C'est en Corée que j'ai commencé à me saouler vraiment.

Pourtant la chance sembla lui sourire une fois encore. Il quitta l'armée vers la fin des années 1950 et s'en vint à New York pour chercher du travail.

— J'avais quarante ans. J'ai pensé que c'était le moment ou

jamais. J'ai cessé de boire complètement. Ma solde m'a servi à m'acheter des vêtements neufs. J'étais vraiment déterminé à essayer encore.

Malheureusement, il n'était spécialisé en rien. Un jour, assis morose sur un banc dans un parc, il parcourait les petites annonces. Il se cherchait un emploi d'homme à tout faire. C'est alors qu'est survenue ce qu'il considère aujourd'hui comme la plus grande malchance de toute sa vie déjà bien malchanceuse.

— J'étais assis là et tout à coup m'arrive un type qui s'assied à côté de moi. C'était une sorte de clochard sale et mal habillé. "Sans emploi?" me demande-t-il. Je réponds "oui!" Il dit comme ça: "Je vais t'expliquer où aller." Je pensais qu'il voulait m'indiquer où trouver du travail. Mais non! L'endroit dont il m'a parlé, c'est là, véritablement, que tout a fini. On peut dire que c'est là que j'ai rencontré mon destin.

Le clochard parla à Charlie Williams du refuge municipal de New York — le "Muni" comme l'appellent les habitués. Les pauvres bougres y recoivent des tickets de lit et des billets de repas gratuits, valables dans plusieurs restaurants et dans plusieurs maisons de chambres du quartier de la Bowery.

— Ce soir-là, après avoir reçu mon repas et mon lit gratuit, j'ai renoncé pour de bon. Je n'avais plus à m'en faire. Je n'avais plus à me battre pour trouver un emploi. A partir de ce jour-là, j'étais pris au piège.

Deux ans plus tard, Charlie Williams essaya de reprendre la bataille. Il fit divers travaux — laveur de vaisselle dans une cafétéria, laveur d'autos, gardien de parc, livreur pour un restaurant — mais aucun de ces emplois ne dura plus de quelques mois. Charlie se décourageait trop vite. A la moindre difficulté, il préférait battre en retraite. Le salaire était toujours tellement dérisoire, comme il disait, qu'il n'y avait aucune raison de rester quand son travail lui déplaisait. La vie ne lui avait jamais appris qu'en persévérant les choses auraient peut-être pu s'améliorer. Quand il abandonnait un travail, il dépensait sa dernière paye en mauvais whisky. Puis il retournait au Muni et passait ses journées à mendier dans les rues pour avoir de quoi boire.

J'ai vu Charlie pour la dernière fois en 1973. Il n'est pas toujours facile de retrouver un homme qui n'a ni domicile fixe ni emploi ni case postale ni téléphone. J'ai essayé à maintes reprises et quelques fois je l'ai trouvé un peu par hasard dans un bar ou traînant sur son coin de rue préféré, à Broadway. Chaque fois, je lui ai passé quelques dollars et lui ai demandé ce qui lui était arrivé de neuf. D'habitude, il ne lui arrivait rien. Sa vie était au point mort. Il faisait froid quand je l'ai vu la dernière fois. Il espérait aller vagabonder en Floride. "Je deviens trop vieux pour ce climat", me dit-il, en s'emmitouflant dans son vieux manteau militaire pour se protéger du vent glacé de novembre.

Enfant, Issur Danielovitch était un dur qui vivait dans un milieu tout aussi dur. Comme il me l'a confié bien des années plus tard, il était "ce genre d'enfant, qui adulte, se retrouve commis dans un grand magasin. Je n'avais aucun objectif. Rien ne m'intéressait à part courir les filles..."

Charlie Williams et lui ne se souviennent pas s'être déjà rencontrés. En fait, s'ils avaient été ensemble quand ils avaient l'un et l'autre onze ou douze ans, il est fort probable que les adultes de leur entourage auraient prédit à Charlie Williams l'avenir le plus brillant. Williams était bon élève. Il avait la bosse des maths. Danielovitch travaillait juste ce qu'il fallait pour passer d'une classe à l'autre. Le travail intellectuel ne semblait pas du tout l'intéresser.

Prédire l'avenir d'un jeune garçon ou d'une jeune fille en se basant seulement sur sa personnalité, c'est compter sans ce que Kirk Douglas appelle le facteur X — la chance. Bizarrement, il m'a semblé que Charlie Williams assumait mieux sa malchance que Kirk Douglas sa chance. Quand j'ai rencontré Williams, il avait cessé de s'en faire. Douglas, par contre, restait marqué par un certain nombre de choses qui lui étaient arrivées. Il perdait beaucoup de temps à essayer de donner un sens à ces événements — tout en admettant qu'il en était incapable.

— Un homme aime sentir qu'il contrôle sa vie, dit Douglas, mais c'est une maudite illusion! Le facteur X est toujours présent.

Même avec le plus grand talent du monde, on n'aboutit nulle part sans la chance...

Pour Charlie Williams, les premiers coups de la malchance sont venus d'une suite de mauvais professeurs. Issur Daniélovitch a vécu exactement l'inverse. Cet enfant qui n'avait pas de but dans la vie, à part courir les filles, était tombé sur une institutrice apparemment supérieure. Extraordinaire, même!

Aujourd'hui encore, maintenant qu'il a près de soixante ans, Douglas s'en souvient clairement et en parle très souvent. Il considère qu'elle a changé le cours de sa vie.

— Je crois qu'elle m'a pris en charge comme une sorte de projet personnel. Peut-être voulait-elle se prouver quelque chose à elle-même, je ne sais pas, se prouver, par exemple, qu'il est possible, à partir de rien, de réussir quand même. Quoi qu'il en soit, elle m'a forcé à relever un certain nombre de défis. Elle m'a proposé de faire des choses que je me pensais incapable d'accomplir. Un jour, elle m'a demandé de tenir un petit rôle dans une pièce qu'on montait à l'école. Elle n'avait aucune raison pour ça. Je n'avais jamais fait preuve de talent ni même montré que j'éprouvais un intérêt quelconque pour le théâtre. Elle me l'a demandé malgré tout. C'était un coup de veine. Si elle ne l'avait pas fait, personne aujourd'hui, à part les habitants d'Amsterdam, ne me connaîtrait. Mon rôle m'a intéressé. Elle m'a encouragé, m'a dit que je jouais bien. C'est ainsi que je suis devenu comédien.

Le jeune Danielovitch a continué à faire du théâtre en amateur jusqu'au collège (il travaillait à temps partiel comme commis dans un grand magasin d'Amsterdam). Ensuite, il est allé à New York pour essayer de pénétrer dans le monde du spectacle. Il y a rencontré une foule de jeunes espoirs, s'y est bien amusé mais, en termes de carrière artistique, son "score" frôlait le zéro absolu.

— Je logeais dans une petite chambre sordide de Greenwich Village. Je travaillais comme garçon de restaurant. J'ai bien obtenu quelques petits rôles à Broadway, mais ils étaient tellement courts qu'il me fallait presque un microscope pour les lire! L'un d'eux était même un rôle invisible: je faisais l'écho depuis les coulisses. Voilà mon genre de succès, à l'époque! En 1942, je suis entré dans la marine. Ma carrière artistique n'avait pas progressé d'un iota.

Peu après son arrivée à Hollywood, Douglas tint quelques rôles de soutien dans des films de second ordre. Puis, soudain, deux occasions extraordinaires s'offrirent à lui. Deux maisons de production le contactèrent à quelques jours d'intervalle pour lui offrir un rôle de premier plan. L'une d'elle était très importante et marchait très bien. Le film qu'elle voulait produire en était un à gros budget. Le cachet était exceptionnellement élevé, trop même, de l'avis de Douglas. La seconde était une petite maison de production qui était loin de nager dans l'abondance. Elle projetait de produire un film à petit budget. Les cachets étaient tout près du salaire minimum. Les responsables de la compagnie demandèrent aux acteurs de courir le risque: si le film marchait, eux aussi auraient du succès, sinon ils n'auraient qu'à rentrer chez eux les poches vides.

— J'ai choisi le film à petit budget, dit Douglas. Pourquoi? A l'époque, je l'ignorais et je l'ignore encore. C'était une sorte d'intuition, sans fondement logique aucun. J'ai toujours fait confiance à mes intuitions. Quand elles sont fortes, j'agis toujours comme elles me le suggèrent. Cette fois-là, l'intuition était très forte, mais j'étais loin d'en imaginer les conséquences. J'ai donc fait comme je pensais. Par la suite, il s'est avéré que j'avais eu raison.

Le film de cette petite maison s'appelait *Champion*. C'était une assez bonne étude du milieu de la boxe. Ce film a vraiment lancé Kirk Douglas. Le film de la grosse compagnie a reçu un accueil très froid. Il a tout de suite sombré dans l'oubli avec la plupart de ses acteurs.

Un pareil coup de veine peut s'expliquer rationnellement, du moins en partie. En 1958, Douglas a connu une autre chance, mais où la logique intervient moins facilement. Mike Todd, un producteur, avait décidé de voyager depuis la Côte Ouest jusqu'à New York dans son avion privé et avait invité Douglas à l'accompagner. Celui-ci avait accepté, avait fait ses bagages et, à la dernière minute, n'était pas parti.

— Je ne parviens pas à m'expliquer pourquoi. Je n'avais pas la sensation de pouvoir lire l'avenir. Je n'avais aucune prémonition de quoi que ce soit. J'ai juste décidé de ne pas y aller. C'est le genre de décision que l'on prend parfois sans savoir pourquoi.

L'avion s'est écrasé. Aucun des passagers n'a survécu.

Depuis lors, Kirk Douglas a continué d'avoir de la chance. Sa vie est bien connue du public, assez en tout cas pour n'avoir pas à la reprendre ici.

Mais la question demeure ouverte. Douglas et Williams ont-ils contribué à se forger eux-mêmes leur propre destin? Si oui, dans quelle mesure? Ou bien la chance de l'un et la malchance de l'autre sont-elles dues à quelque force qui leur serait extérieure? Si oui, quelle est cette force, comment agit-elle?

DEUXIÈME PARTIE: SPÉCULATIONS SUR LA NATURE DE LA CHANCE: QUELQUES TENTATIVES SCIENTIFIQUES

1. LA THÉORIE DE LA PROBABILITÉ

Martin Gardner, un mathématicien des jeux de hasard fort réputé qui tient d'ailleurs une rubrique mensuelle sur le sujet dans le *Scientific American Magazine*, est persuadé que le hasard, seul, est responsable de la chance. Quand les gens parlent de "chance stupéfiante", de "chiffre porte-bonheur" et de "jour de chance", souligne-t-il, ils ne font en fait que décrire certaines coïncidences et certains *patterns* évidents. Ces coïncidences sont d'ailleurs inévitables quand un nombre suffisant d'événements fortuits se produisent sur une période assez longue. Le mathématicien Horace Levinson exprime le même point de vue dans *Chance, Luck, and Statistics,* l'un des rares livres de probabilités lisible que j'aie jamais trouvé. *Lady Luck: The theory of Probability* est un livre du même genre dont l'auteur, Warren Weaver, professeur de mathématiques, est d'accord avec Gardner et Levinson.

Bien sûr, il y a d'autres scientifiques éminents qui ne partagent pas ce point de vue. Je leur laisserai la parole, mais plus tard. Ce chapitre appartient aux partisans de la théorie de la probabilité. Examinons celle-ci plus en détail et tâchons de voir pourquoi certains y adhèrent.

Il y a quelques années, une jeune femme du nom de Vera Nettick jouait au bridge à Princeton, dans le New Jersey. Elle faillit laisser tomber le jeu que l'on venait de lui distribuer: elle avait en main les treize cartes de carreau!

Elle pensa d'abord qu'elle était en train de faire les frais d'une de ces farces un peu bêtes que les joueurs de bridge aiment se faire entre eux. Elle n'avait pourtant pas quitté la table depuis que le nouveau donneur avait brassé les cartes. Elle en vint finalement à la conclusion qu'il ne s'agissait pas d'une farce. Le joueur à sa droite ouvrit: il annonça deux coeurs. D'après son propre jeu, Vera Nettick déduisit que les trois autres joueurs avaient de grandes suites et, bien sûr, qu'ils n'avaient en main aucune carte de carreau. Une annonce de sept coeurs ou de sept trèfles aurait été plus forte. L'un des trois autres aurait facilement pu la faire. Elle annonça donc de suite un grand chelem en carreau, tout en retenant son souffle. Ses partenaires ne déclarérent rien de supérieur. Le grand chelem était à elle et elle étala son jeu sur la table. Vera Nettick en aura sans doute pour le reste de sa vie de joueuse de bridge à rabâcher les oreilles de ses compagnons avec la chance extraordinaire qu'elle a eue ce soi-là. Bien sûr, la chance était de son côté.

La chance? Les partisans de la théorie de la probabilité ne seront certainement pas de cet avis. Si quelqu'un leur parle de "chance" au bridge ou à n'importe quel autre jeu de cartes, ils rétorquent à coup sûr que tout ce qui peut s'imaginer comme jeu finit toujours par être distribué un jour ou l'autre. Si on insiste un peu, ils vont même faire un petit calcul mathématique pour préciser le nombre de fois où l'on peut s'attendre à recevoir un jeu identique à celui de Vera Nettick. En fait, une telle main est plus fréquente qu'on ne le pense généralement.

Il y a, au bridge, environ 635 milliards de mains possibles. Sur ce nombre, huit pourraient être appelées des "jeux parfaits" (même si certains le sont plus que d'autres). Ce sont d'abord les quatre jeux parfaits sans atout (un jeu qui contient les quatre as, les quatre rois, les quatre reines et l'un des quatre valets). Ces jeux-là ne pardonnent pas. Ils sont incontestablement parfaits. Aucune annonce ne peut les surpasser. Légèrement moins parfaits (par ordre décroissant), il y a les jeux qui contiennent tous les piques, tous les coeurs, tous les carreaux, tous les trèfles. S'il existe huit jeux parfaits sur 635 milliards, la probabilité statistique d'en recevoir un équivaut, grosso modo, à une chance toutes les 79 milliards de donnes.

Il faut donc essayer d'évaluer combien de parties de bridge se jouent chaque année et combien chaque partie comporte de donnes. En étant très conservateur, on peut estimer qu'aux Etats-Unis un joueur de bridge chanceux recevra un jeu parfait environ tous les trois ou quatre ans.

Le joueur qui reçoit un tel jeu que ce soit cette année, l'année prochaine ou l'année suivante, doit considérer qu'il a une chance extraordinaire. Pour les partisans de la théorie de la probabilité, le fait est absolument banal (dans l'univers de la chance ces gens-là sont de vrais rabat-joie). Pour eux, un jeu parfait n'est pas plus exceptionnel ou inattendu qu'un lever de soleil. La seule différence est que l'occurence d'un jeu parfait se prévoit avec moins d'exactitude que l'aurore.

Il serait bien sûr surprenant que des jeux parfaits ne soient pas distribués de temps à autre. Chaque jeu a autant de chance que tous les autres d'être distribué. Si vous spécifiez d'avance une combinaison de treize cartes, *n'importe laquelle,* votre chance de la recevoir effectivement serait de une sur 635 milliards. Une jeu parfait n'est pas plus rare que n'importe quel autre. La seule différence, c'est que les joueurs le convoitent davantage, en sont plus fiers, s'en souviennent et en parlent plus longtemps. Il est rare qu'un joueur se rappelle avec précision le pire des jeux qu'il aura reçu la semaine précédente. Il n'a jamais souhaité recevoir ce genre de jeu. Par contre, si on lui avait distribué un jeu parfait — alors qu'il y a autant de chance de recevoir une main parfaite qu'une main médiocre —, là il s'en souviendrait et casserait les oreilles de ses amis pendant des années.

C'est à contrecoeur que les partisans de la théorie de la probabilité reconnaissent à quelqu'un le droit d'être heureux de recevoir un jeu parfait ou de gagner le gros lot d'un million de dollars. C'est à peine s'ils tolèrent que l'on parle de "la chance". Ils ne permettent à personne d'en être surpris. Quelqu'un, quelque part, *doit* recevoir un jeu parfait, tôt ou tard. C'est inéluctable. Si le sort vous a choisi, vous n'avez donc pas le droit de vous en étonner. Les chances de ne pas recevoir de jeu   parfait sont évidemment très grandes mais ni plus ni moins que celles de recevoir n'importe quelle autre série de 13 cartes. Comme le dit le docteur Levinson: les chances sont toujours contre ce qui se produit effectivement.

Pour illustrer son point de vue, le docteur Levinson se sert de l'exemple des loteries. Si vous achetez un billet de loterie et qu'un million d'autres personnes en achètent également, la probabilité de ne pas gagner est de un million contre un. Si vous gagnez quand même, le docteur Levinson trouve qu'il n'y a aucune raison d'être surpris. Vous allez sans doute vous exclamer, dire "Je n'en crois pas mes yeux!" ou bien "Pourquoi moi?" ou encore "J'ai une veine terrible!" Pourtant, aux yeux des organisateurs, rien de vraiment surprenant ne s'est produit. Il était *prévu* que quelqu'un devait gagner. De leur point de vue, la loterie ressemble à une machine, parfaitement programmée, qui fait exactement ce qu'elle doit faire. Et, donc, il n'y a aucune raison de se surprendre qu'il y ait un gagnant. Même si toutes les chances du monde sont contre lui, il doit toujours y avoir à chaque tirage quelqu'un qui gagne une fortune.

Dans la vie, c'est pareil. Ce qui arrive semble parfois incroyable car il y a toutes les chances du monde que cela n'arrive pas. Mais tout ce qui arrive est programmé de telle sorte que cela arrive. Si, par exemple, un jour, j'ai une collision au volant de ma voiture, je vais à coup sûr me lamenter et râler contre ma malchance. Je ne connaîtrai pas l'autre conducteur. Nous serons partis d'endroits différents, à des moments différents, pour des motifs différents et vers des destinations différentes. Nous aurons roulé sur des routes différentes. Les feux de circulation, les autres véhicules auront influencé notre vitesse de façon différente. Une multitude d'autres facteurs auront eu un impact sur notre allure et notre itinéraire. Le matin de ce jour de malchance, il y avait donc toutes les probabilités du monde pour que je ne me retrouve pas à cette intersection au même moment que l'autre automobiliste avec qui j'ai eu l'accident. J'avais des millions, des milliards, des centaines de milliards de chances de ne pas me trouver à l'endroit où s'est produit mon accident. Pourtant, les policiers qui arrivent sur les lieux ne sont jamais surpris. Pour eux, mon accident fait partie des choses inéluctables. Ils savent que, dans leur secteur, il se produit X centaines d'accidents chaque année. Les accidents doivent donc bien arriver à quelqu'un!

Ce que je considère, moi, comme un coup de chance ou de malchance, d'autres le considèrent comme un événement inévitable. C'est pourquoi cela déprime les partisans de la théorie de la probabilité lorsqu'ils entendent parler de "fantastique coup de veine" ou "d'incroyable malchance". Un vrai partisan de cette théorie n'admettra jamais que quelque chose ait réussi à le surprendre.

Même les coïncidences ne les surprennent pas. Ces personnes sont affreusement rationnelles et souvent sinistres. Elles s'arrangent pour paraître ennuyées même devant les circonstances les plus extraordinaires, même quand certains événements arrivent selon les schémas les plus inattendus et les moins prévisibles. La théorie de la probabilité réfute certaines lois du calcul des probabilités. En fait, il n'existe que deux règles absolument sûres: la première, c'est que "tout peut arriver"; et la seconde, c'est que "si quelque chose peut avoir lieu, il est certain que cela finira par arriver".

Cela *va* finir par arriver — tôt ou tard, si on considère un échantillonnage suffisant d'événements fortuits pendant un temps assez long. Quand certaines coïncidences, heureuses ou malheureuses, se produisent, quand certains événements s'enchaînent selon une trame qui sort absolument du prévisible, les gens qui vivent ces choses sont, bien sûr, stupéfaits et se lancent dans diverses spéculations sur l'influence de certaines forces occultes, mystiques ou psychiques. Ils s'exclament: "Ceci ne peut être le fruit du hasard!" La théorie de la probabilité rétorque: "Bah! tout peut être le fruit du hasard." Comme le souligne Martin Gardner, des milliers, des millions d'événements, banals ou importants, arrivent chaque jour à des milliards d'êtres humains. Dans cet océan d'événements que les hommes vivent de façon ininterrompue, ce serait bien surprenant si certaines coïncidences ne se produisaient pas aussi de temps en temps.

Une des coïncidences préférées du docteur Warren Weaver s'est produite il y a quelques années dans la petite ville de Beatrice, au Nébraska. Le magazine *Life* a raconté l'histoire. Un soir d'hiver, les quinze membres de la chorale locale devaient se retrouver à l'église à dix-neuf heures vingt pile, pour une répétition. On avait toujours insisté sur la ponctualité. Aucune de ces quinze personnes n'aimait voir les répétitions se prolonger indûment. Les membres les plus ponctuels détestaient arriver à temps et devoir attendre les retardataires. Bref, la ponctualité était de règle. Pourtant, ce soir-là, les quinzes personnes, y compris le directeur de la chorale, furent en retard, chacune pour un motif différent. L'un des hommes n'avait pas réussi à faire démarrer sa voiture, l'un des couples avait eu du mal à trouver une gardienne, etc.

A dix-neuf heures trente donc, l'église était encore vide. Et à dix-neuf heures trente précises, le système de chauffage explosa et souffla littéralement le bâtiment! Comme il n'y avait personne, il n'y eut pas de victime .

Une partie des habitants de Beatrice et quelques membres de la chorale ont affirmé que la Providence les avait sauvés, qu'ils avaient été protégés par Dieu lui-même. D'autres ont parlé de prémonition, de pressentiment, de mystérieux malaises: "J'avais l'impression bizarre qu'il fallait être en retard ce soir-là." D'autres encore ont invoqué les astres, le Destin, certaines forces occultes: "Leur heure n'était pas encore venue." Et, bien sûr, d'une façon ou d'une autre, tout le monde parla de chance.

Le docteur Weaver a lui aussi parlé de chance. Il considère cependant que l'incident de Beatrice n'est rien d'autre qu'une heureuse coïncidence. Il est arrivé une série de circonstances, dues au hasard, sans raison apparente, à laquelle n'a présidé aucune force occulte ou mystérieuse. Après tout, être en retard est assez habituel. Il est probablement moins rare de trouver quinze personnes en retard à un rendez-vous que d'en trouver quinze qui soient à l'heure. On peut affirmer sans risquer de se tromper que, chaque jour, il arrive que tous les participants à une réunion soient en retard, même si on a insisté sur la ponctualité. La plupart de ces situations passent inaperçues car, en soi, elles sont inintéressantes. Sans l'explosion, l'incident de Beatrice n'aurait jamais fait les manchettes. Cependant l'explosion a transformé un événement banal, et en soi dépourvu d'intérêt, en une situation chargée d'une mystérieuse signification.

Le docteur Weaver rapporte une autre coïncidence, moins spectaculaire mais plus sensationnelle encore, qui est arrivé à un certain Kenneth D. Bryson. Bryson était en voyage d'affaires. En traversant Louiseville, au Kentucky, il décida à l'improviste de s'y arrêter pour visiter cette jolie petite agglomération. Un passant lui recommanda un hôtel où il prit une chambre. A sa grande surprise, une lettre l'y attendait. Elle portait son nom et son numéro de chambre: "Kenneth

D. Bryson, chambre 307". Il nageait en plein mystère. Quelqu'un avait posté cette lettre avant même qu'il ne décidât de s'arrêter à Louiseville et, bien sûr, avant qu'il ne sût dans quel hôtel il allait descendre et quelle chambre on lui attribuerait. Ce qui provoqua l'incident était aussi étrange que la lettre elle-même: l'homme qui avait occupé sa chambre avant lui portait exactement le même nom, Kenneth D. Bryson.

Etrange? Bien sûr! Mais l'incident ne contredit en rien la théorie de la probabilité. Si Bryson avait essayé d'y trouver quelque signification occulte, les partisans de cette théorie lui auraient conseillé de ne pas se laisser impressionner outre mesure. L'anecdote prouve seulement que ce qui peut arriver arrive. Des millions de personnes prennent chaque année une chambre à l'hôtel. Il est donc probable, sinon certain, que, tôt ou tard, deux personnes portant le même nom vont finir par s'inscrire l'une à la suite de l'autre dans le même hôtel.

Martin Gardner, en bon mathématicien, est fasciné par les coincïdences où interviennent les chiffres. Selon certains, ceux-ci n'appartiennent pas au domaine du pur hasard. Gardner pense le contraire. Il est un partisan de la théorie de la probabilité (et l'un des plus ingénieux). Il évoque souvent l'accident au cours duquel un train tomba dans la baie de Newark, provoquant la mort de plusieurs personnes. La télévision et les journaux ont abondamment parlé de cette histoire. L'une des photos diffusées partout montrait le wagon de queue au moment où on le sortait de l'eau et dont le numéro était parfaitement lisible: 932.

Il existe à Manhattan une loterie qui se tire tous les jours. Un certain nombre d'habitués de cette loterie relevèrent avec intérêt le numéro du wagon (les gens qui misent sur les chiffres attachent souvent une signification occulte à ceux qui apparaissent dans les nouvelles). Ce 932 étalé de façon si évidente à la une de tous les journaux leur sembla donc lourd de sens. Des centaines de personnes achetèrent des billets portant ce numéro. Et, comme par hasard, le 932 gagna.

Martin Gardner se contente de faire la constatation suivante: si le 932 a eu la vedette deux fois de suite en des circonstances différentes durant la même journée, c'est dû au seul hasard. Il ne faut y voir aucune intervention de quelque puissance occulte que ce soit. De telles coïncidences se sont déjà produites et vont sans aucun doute se reproduire.

Tout le monde vit certaines coïncidences. La plupart d'entre elles sont banales. Le plus souvent, celui qui les vit se contente de sourire, de hausser les épaules ou de se sentir vaguement intrigué. On pense soudain à un ami qu'on n'a pas vu depuis des années, qu'on a même oublié, et tout de suite après voilà que cet ami téléphone! On tombe sur un mot qu'on n'a jamais rencontré, on le cherche dans le dictionnaire; et les jours qui suivent, le voilà qui se retrouve dans tous les textes qu'on lit! On cherche en vain un emploi pendant des semaines et des semaines. Et soudain, on reçoit trois offres différentes la même journée! Tout le monde a vécu cela. Ce genre d'incident sert à prouver la véracité de certaines hypothèses sur la chance, troublantes et difficiles à démontrer. Pour la théorie de la probabilité, ces faits ne prouvent rien. Ils illustrent tout au plus les effets prévisibles de la loi de la probabilité.

Les partisans de la théorie de la probabilité sont les iconoclastes de la chance. Ils s'acharnent à détruire les sentiments poétiques des autres. Un coup de chance est toujours surprenant et mystérieux pour celui à qui il arrive. On se lance souvent, après avoir été particulièrement favorisé par la chance, dans des spéculations religieuses, occultes ou psychiques pour le justifier. La théorie de la probabilité exige de ses adeptes qu'ils rejettent complètement ce genre de spéculations. Je n'en ai jamais rencontré un qui m'ait simplement dit: "Bah!" Mais toujours, dans tout ce qu'ils disent, on peut sentir en filigrane cette petite exclamation désabusée, semblable au souvenir d'une lointaine cloche d'école qui annonçait la fin de la récréation juste au moment où on commençait à s'amuser! Leur position philosophique est irréfutable. Elle leur donne cet air rébarbatif, triste et sans verve qu'ils ont toujours. Ils se sentent constamment obligés de dire: "Ce n'est pas aussi intéressant que cela en a l'air."

"Inintéressant! Ce constat est très subjectif. D'autres personnes qui examineraient la même situation sous un autre angle pourraient bien la trouver, au contraire, extrêmement intéressante et estimer qu'elles ont tout à fait raison de penser ainsi. Prenons, par exemple, la malchance dont, aux Jeux olympiques d'hiver de 1976, fut accablée la skieuse suisse Marie-Thérèse Nadig. Elle était une des favorites. Elle avait gagné de nombreuses compétitions et paraissait la mieux placée pour remporter la médaille d'or à la fois au slalom et à la descente libre. Les Jeux finis, elle rentra pourtant chez elle les mains vides à cause d'une suite prodigieuse de malchances. Juste avant Innsbruck, Marie-Thérèse Nadig avait perdu un petit porte-bonheur qu'elle possédait depuis longtemps: un pendentif en or représentant deux skis croisés. En fait, c'était une babiole sans grande valeur, sinon sentimentale. Ou peut-être dotée de certains pouvoirs secrets. La perte du fétiche préoccupa certains de ses amis. Elle, par contre, prétendit ne pas y attacher d'importance.

Elle se rendit donc à Innsbruck avec l'intention de s'entraîner chaque jour. Très vite, elle connut une première malchance. Une grosse grippe la tint alitée plusieurs jours.

Elle se rétablit quelques jours avant la compétition et se rendit sur les pentes couvertes de neige pour s'entraîner. Une malchance plus grande encore lui arriva. Elle perdit l'équilibre et se fit si mal à l'épaule qu'elle dut abandonner la descente libre.

Restait le slalom. Elle démarra bien et semblait en pleine possession de ses moyens. Mais soudain la poignée de son bâton de ski se détacha. Elle essaya avec un admirable courage de terminer la course malgré tout. Le parcours était difficile, même avec les deux bâtons; Avec un seul, il était pratiquement impossible.

Les sportifs — tout comme les joueurs, les comédiens et d'autres personnes appartenant à des groupes similaires — attachent une très grande importance au rôle que joue la chance dans le succès ou l'échec. Ils ont tendance à en parler en termes relativement mystiques. Plusieurs personnes à Innsbruck, de même qu'un grand nombre de téléspectateurs en Amérique, ont attribué la malchance de la skieuse à la puissance obscure du Destin. Le Destin intervient pour des raisons inconnues (peut-être seulement pour donner une chance aux autres skieuses qui ont remporté les deux courses). Bien sûr, rien ne prouve l'exactitude de cette assertion. Pourtant, cette hypothèse rend les mésaventures de Nadig plus fascinantes et, en quelque sorte, les ramène dans l'ordre des choses.

J'ai rencontré, lors d'un cocktail, un ingénieur de la compagnie American Can, partisan de la théorie de la probabilité. En grognant, il a collé sur mon anecdote l'étiquette traditionnelle de la théorie: "Inintéressant!" Il m'a fait remarquer qu'il y avait, à ce moment-là, au village olympique une épidémie de grippe. Rien de surprenant donc que l'une ou l'autre skieuse suisse l'ait attrapée! La seconde malchance de Nadig, son épaule luxée, il me l'a expliquée en disant que cela pouvait bien être le résultat de sa maladie. Elle était dans un état de faiblesse générale. Elle n'était donc pas en possession de tous ses moyens. Elle hésitait devantage et avait plus de chances de tomber. Pour ce qui est du bâton de ski, il m'a dit que "toutes les choses finissent toujours par se briser à un moment donné, et qu'il n'y a donc rien d'extraordinaire à cela!"

En réalité, mon interlocuteur ne m'a pas prouvé que les mésaventures de la skieuse étaient inintéressantes. Il avait, lui, l'impression — sans plus — qu'elles l'étaient.

Dans certains cas, la théorie de la probabilité réussit à prouver mathématiquement qu'une coïncidence est moins surprenante qu'il n'y paraît. Nous sommes parfois victimes de notre bon sens. Nous jugeons que certains événements sont extraordinaires, qu'ils semblent contrevenir à toutes les lois de la probabilité, alors qu'en fait il n'en est rien. Cela se produit plus souvent qu'on l'imagine.

Quand j'étais à l'armée par exemple, on a demandé un jour à mes cent compagnons de régiment de se mettre en file selon leur jour de naissance. Ceux qui étaient nés le 1er janvier devaient être en tête et ceux qui étaient nés le 31 décembre à la fin. J'ai oublié la raison de cet exercice, mais il a donné lieu à un phénomène qui me semble intéressant. Je me suis retrouvé avec deux autres hommes nés le même jour que moi, mais l'un une année avant, et l'autre une année après. Nous étions nés les 28 juin 1927, 1928, 1929. Les mois suivants, nous nous sommes lancés tous les trois dans toutes sortes de spéculations métaphysiques. Nous avons bu une quantité impressionnante de bière ensemble. Nous avons philosophé sur la Vie, la Mort, le Destin et sur nombre d'autres choses tout aussi graves et essentielles. L'amie d'un de mes deux camarades se piquait d'astrologie. Elle a augmenté le caractère fantastique de toute l'affaire en décrétant qu'un Pouvoir invisible avait présidé à notre rencontre.

Aussi longtemps, disait-elle, que nous ne briserions pas notre lien mystique, ce Pouvoir nous mènerait tout droit vers la Fortune.

Bon! Peut-être! Mais si l'on y réfléchit sérieusement, il n'y a rien d'extraordinaire, étant donné les circonstances, dans le fait que trois personnes nées à la même date se rencontrent. C'était, en tout cas, prévisible. Le fait que nous soyons nés chacun à un an d'intervalle ne présente aucun mystère non plus. Tous les soldats de notre régiment étaient des jeunes gens. Aucun n'avait moins de dix-huit ans et très peu avaient plus de vingt ans. Nous étions presque tous nés entre 1926 et 1930.

Voilà donc qui règle la question de l'année. Pour ce qui est du jour et du mois, le 28 juin, l'apparente coïncidence est une simple illustration de ce qu'on appelle "le paradoxe de l'anniversaire". Tous ceux qui étudient les lois de la probabilité aiment s'en servir pour méduser leur entourage. Il n'est pas nécessaire de se plonger ici dans une analyse des mathématiques paradoxales. Je veux seulement souligner que la rencontre de personnes nées le même jour est beaucoup plus fréquente et probable que ne le laissent entendre l'intuition ou le sens commun. Il s'agit seulement de rassembler vingt-trois personnes pour qu'il y ait 50% de chances qu'au moins deux d'entre elles soient "jumelles". Quand on forme un groupe de cinquante personnes, les chances passent à 30 contre 1; et pour un groupe de cent, elles dépassent les 3 millions contre 1. Autant dire qu'il est à peu près sûr, avec un groupe de cent personnes, qu'au moins deux d'entre elles soient nées le même jour.

Dans mon régiment donc, il aurait été surprenant de *ne pas* trouver deux soldats nés à la même date. En fait, outre notre petit groupe de trois, il y avait deux autres paires de personnes dans le même cas. Cela correspond tout simplement aux lois de la probabilité. Il est un peu plus rare de se retrouver à trois nés le même jour mais pas tellement. Dans un groupe de cent personnes, il y a environ une chance sur trois de trouver trois personnes qui aient la même date de naissance.

Les partisans de la théorie de la probabilité n'éprouvent pas grand intérêt pour les suites de chance, même si elles fascinent tous les autres. Une "suite", telle qu'on la définit d'habitude, est la convergence d'une série de coups de chance (ou de malchance) pendant un temps déterminé. Tout le monde a vécu ce genre de suite. Certains jours, tout ce qu'on entreprend réussit de façon extraordinaire et à certains autres, tout rate systématiquement. Les joueurs de bridge ou de poker le savent bien. Certains soirs, ils ont toujours en main des jeux fantastiques tandis que, d'autres fois, il peut leur arriver de regretter amèrement de n'être pas allé au cinéma.

Ces suites de chance valent la peine que l'on s'y attarde. Si on joue au bridge ou au poker et que la mise est peu élevée, elles n'ont pas grande importance en dehors du jeu lui-même. Il en va tout autrement s'il s'agit d'enjeux considérables, d'investissements, de décisions d'affaires, ou encore des risques ou des paris que l'on prend quotidiennement pour atteindre les objectifs personnels que l'on s'est fixés. Les suites de chance modifient parfois tout le cours d'une existence. Cependant, quel que soit l'enjeu — qu'il s'agisse d'une banale partie de bridge entre voisins ou d'un pari désespéré qui remet en cause l'acquis de toute une vie —, la suite de chance reste toujours aussi mystérieuse.

La théorie de la probabilité offre son explication habituelle, raisonnable et un peu terne. Une suite de chance? Rien de plus naturel! Quand les choses surviennent par hasard, il peut arriver de temps à autre qu'elles se succèdent à un rythme plus rapide. Aucune plage n'est parfaitement nivelée. Au hasard des vents, des vagues, des marées, se créent tantôt des dunes et tantôt des cuvettes.

Il est même possible de déterminer mathématiquement la fréquence de ces suites. Lorsqu'on lance en l'air une pièce de monnaie, on s'attend à ce qu'elle retombe du côté pile à peu près autant de fois que du côté face. Plus on lance la pièce de monnaie, plus on a de chance d'atteindre le 50-50 que définissent les lois de la probabilité. C'est le résultat à long terme auquel on peut s'attendre. Les lois de la probabilité ne demandent pas que les deux faces de la pièce de monnaie retombent alternativement tantôt pile tantôt face de façon parfaitement régulière. Au contraire, selon ces lois, il y a de temps en temps des suites de pile et parfois des suites de face.

Lorsqu'on lance en l'air un pièce de monnaie 1 024 fois de suite, affirme le professeur Weaver, il faut s'attendre à ce qu'il y ait probablement une suite de huit piles (ou de huit faces) consécutives. Ce n'est cependant pas garanti. Les statistiques se bornent à dire qu'il y a plus de chance pour qu'une telle suite se produise, plutôt que l'inverse. Si vous pariez sur l'occurence d'une telle suite, normalement vous devriez gagner. De la même façon, dans cette même série de 1 024, vous avez toutes les chances de gagner si vous pariez qu'il y aura deux suites de sept piles (ou faces) consécutives, quatre suites de six piles (ou faces) consécutives ou huit suites de cinq piles (ou faces) consécutives.

Ces lois s'appliquent à n'importe quelle situation où intervient le hasard et où il n'y a que deux issues possibles: le fameux et très ancien jeu de la roulette en est un autre exemple. Il y a des dizaines et des dizaines de façons différentes de miser à la roulette, mais trois types de pari correspondent exactement au pile ou face. On peut miser sur les rouges ou les noirs, les chiffres pairs ou impairs, ou sur le groupe de chiffres de 1 à 18 et de 18 à 36. Ces paris rapportent à leurs gagnants le montant exact de leur mise. Si quelqu'un mise un dollar et gagne, il reçoit un dollar en retour et, donc, double son avoir. Quelques joueurs de roulette passent indifféremment d'une sorte de jeu à une autre mais, d'habitude, le joueur typique s'en tient à une seule pendant toute une soirée (souvent en fonction de certaines croyances mystérieuses ou de certains pressentiments). Il ne démord pas du type de pari qu'il a choisi. Un joueur peut, par exemple, miser de façon répétée sur les chiffres pairs. Celui qui joue de la sorte espère de toute évidence qu'il y aura des suites de numéros pairs pendant qu'il misera.

Selon les lois de la probabilité, il doit y avoir des suites de pairs, et, en fait, il y en a (tout comme des suites d'impairs, de rouges, de noirs, etc.). A Monte-Carlo, un soir, le pair est sorti vingt-huit fois de suite. Si vous aviez été là, si vous aviez commencé à miser un dollar sur les chiffres pairs et si vous aviez, à chaque fois, rejoué votre mise de façon à ce qu'elle double à chaque jeu, après le vingt-huitième tour de roulette vous auriez gagné un peu plus de 134 millions de dollars. Les règlements du casino sur le montant des enjeux vous auraient, bien sûr, interdit de jouer si fort... Mais il est amusant d'en rêver.

Si, la vingt-neuvième fois, vous aviez continué à miser, vous auriez tout perdu, même votre premier dollar. Il y aurait eu de quoi pleurer! Ceci illustre assez bien une des faiblesses de la théorie de la probabilité. La théorie peut parvenir à déterminer en termes généraux ce à quoi l'on peut s'attendre, mais elle est incapable de préciser quand ce qu'elle prédit va effectivement se produire.

Selon les lois de la probabilité, une suite de vingt-huit pairs consécutifs arrive après 268 millions de tours de roulette, environ. Mais il ne sert pas à grand-chose de le savoir quand on s'assied à une table pour jouer. Il est impossible de prédire le moment où cette suite va se produire. Il est pourtant à peu près sûr qu'elle va sortir quelque part, un jour, si les gens continuent de jouer à la roulette assez longtemps. Mais nul ne sait si ce sera cette année à Las Vegas ou dans cent ans dans un casino qu'on n'a même pas encore pensé construire. De plus, si une suite de pairs commence, par exemple, et que le pair sort quatre, cinq ou six fois de suite, comment savoir quand la suite va cesser? Se trouve-t-on au commencement d'une suite de vingt-huit et faut-il laisser son argent sur la table? Ou bien, la suite va-t-elle s'arrêter après six tours et vaut-il mieux empocher ses gains et s'en aller?

Quand commencer à jouer? Quand cesser? Combien de tours va durer la suite? La théorie de la probabilité ne répond pas à ces questions. Elle reconnaît qu'elle est incapable d'y répondre.

En ce sens la chance est un élément qui échappe à la théorie de la probabilité — elle y échappe aussi bien en ce qui a trait aux jeux de hasard qu'en ce qui concerne les choses plus sérieuses de la vie réelle (qui est elle-même un fantastique jeu de hasard). La théorie peut proposer certaines projections et déterminer ce qui pourrait ou non arriver. Mais c'est tout. Elle ne va pas plus loin. Lorsque j'ai dit à Martin Gardner que j'allais écrire un livre sur la chance, il m'a répondu que ce n'était peut-être pas une bonne idée. Il trouvait le sujet trop "flou". Pour la théorie de la probabilité, il est évident que la chance est un sujet flou. La chance est ce qui arrive, sans plus. Il n'y a rien à en dire. Il n'y a rien que l'on puisse y faire.

C'est pourquoi certains joueurs professionnels qui se collettent quotidiennement avec l'essence même du hasard estiment qu'il manque quelque chose à la théorie de la probabilité. Certains d'entre eux ont la sensation que le facteur chance peut s'appréhender mieux que ne le laisse supposer cette théorie. La chance, pour eux, est un phénomène plus tangible, plus réel: elle existe de façon autonome. Ce n'est pas une simple étiquette que l'on colle sur tout événement qui survient de façon inattendue.

Le major A. Riddle est un de ceux qui pensent ainsi. Il est président du Dunes Club, à Las Vegas. Voici quelques années, il a écrit un texte fascinant: *The Weekend Gambler's Handbook*. Il y souligne, entre autres, que "la chance... est le seul facteur qu'on ait omis d'intégrer dans les spéculations sur le jeu. Comprendre la chance fait partie intégrante du jeu, tout comme connaître la façon de mettre un terme à sa déveine''.

Son appréciation de la chance diffère beaucoup de celle des partisans de la théorie de la probabilité, théorie qu'il a pourtant étudiée avec minutie. Dans son *Handbook*, il reprend d'ailleurs certains calculs de probabilité, d'une façon telle qu'aucun tenant de cette doctrine n'y pourrait trouver à redire. Mais il va plus loin. Il considère la chance comme une entité distincte. Elle peut, selon lui, offrir une aide supplémentaire (ou présenter des problèmes supplémentaires) qui se situe en marge des prévisions statistiques.

Par exemple, il conseille au lecteur de "tâter" sa chance avant de se lancer dans une entreprise quelconque, jeu de hasard ou aventure plus déterminante du point de vue personnel. "Si vous êtes au casino, dit-il, misez quelques petits enjeux de façon à déterminer si, ce jour-là, vous êtes en veine ou non. Si cela semble bien marcher, alors misez plus gros.''

Pour un adepte des probabilités, une telle assertion n'a aucun sens. Le fait qu'ait débuté une suite de chance n'indique en rien qu'elle va se poursuivre, affirme la théorie de la probabilité. Au moment de déposer la mise suivante, les probabilités pour ou contre un joueur sont exactement les mêmes que ce qu'elles ont toujours été, que cette mise ait été précédée ou non d'un certain nombre de mises chanceuses. "Tâter" sa chance, est donc une idée stupide.

Le major Riddle estime le contraire — comme bon nombre de joueurs, de spéculateurs de tout crin et comme toute les personnes habituées à prendre des risques. Riddle insiste sur le fait que la chance est une force mystérieuse. Elle diminue ou augmente en quelque sorte (il ne précise pas comment), et dans un temps déterminé, les possibilités qu'a quelqu'un de gagner. Comment? Certains pensent le savoir. Riddle, modeste, ne propose aucune hypothèse. Il se contente de noter que les suites de chance sont dans une certaine mesure prévisibles et qu'il y a moyen d'en tenir compte.

Il raconte l'histoire d'un journaliste arrivé au Dunes, un soir, avec vingt dollars en poche. Il plaça quelques petites mises sur la table et gagna. Riddle se trouvait tout près. Selon lui, cela indiquait que la chance du journaliste était bonne ce soir-là. Le type était "en veine", comme on dit. Riddle lui conseilla donc d'y aller avec des enjeux de plus en plus gros. Le journaliste continua d'avoir de la veine et, par conséquent, de gagner. Il se servit donc d'une suite de chance. Mais au bout d'un certain temps, la question se posa de savoir quand la chance tournerait. Cet homme devait-il continuer de jouer des sommes de plus en plus importantes et risquer de tout perdre si sa chance l'abandonnait brusquement? Riddle avait le pressentiment que la suite touchait à sa fin. Il tenta de convaincre le joueur d'empocher ses gains et de s'en aller. Mais le journaliste ne voulait rien savoir. Sa chance, raconte Riddle, était, ce soir-là, tellement extraordinaire que ce fut elle, finalement, qui décida pour lui: le bonhomme était tellement ivre qu'à un moment donné, il s'écroula sur le parquet.

Le lendemain, un peu plus sobre, il sortit de sa chambre pour déjeuner. Riddle lui remit son dû: 21 265 dollars.

Ceux qui défendent la théorie de la probabilité reconnaissent l'existence de telles aventures. Ils sont même d'accord pour dire qu'elles doivent se produire assez régulièrement. Ils mettent cependant en doute le fait que ces suites de chance soient prévisibles et qu'on puisse en tenir compte comme le prétend Riddle. Selon les "probabilités", les gains du journaliste s'expliquent parce que, ce soir-là, une série d'événements favorables ont convergé. Rien n'a "provoqué" cette convergence. Rien n'a décidé qu'il fallait que la chance tombât sur lui, ni même que cela devait lui arriver précisément ce soir-là plutôt que n'importe quel autre.

L'idée d'être "en veine", comme le disent les joueurs, est un simple non-sens pour les partisans de la théorie de la probabilité. Si vous dites de quelqu'un qu'il est en veine, vous voulez dire que, pour un certain temps, la chance le favorisera plus que les autres. Mais, dans l'univers des probabilités, c'est là une allégation complètement dépourvue de sens.

Harry Walden* est un joueur invétéré et presque un perdant professionnel. Il a cinquante-cinq ans, ne s'est jamais marié, vit seul et affirme que ça lui est bien égal. Il est petit et maigre. Il a un gros nez et un sourire sympathique. Il a été, tour à tour, conducteur d'autobus, chauffeur de taxi, camionneur et vendeur de souliers. Pour le moment, il est en chômage. Il aime être chômeur car cela lui laisse tout son temps pour aller aux Yonkers, à l'Aquaduct et pour visiter tous les autres champs de courses des environs de New York.

Harry n'a pas eu beaucoup de chance dans la vie. Ce qui est étonnant, c'est qu'il ne se gêne pas pour le dire. Ce genre d'homme est plutôt rare. Il raconte sa vie avec un grand sourire et même avec une certaine désinvolture. Quand il a de l'argent, il est extrêmement généreux. Quand il n'en a pas, il s'en fiche. Les bons et les mauvais coups du sort ne l'atteignent pas. Il regarde sa chance aller et venir avec une certaine curiosité mais sans vraiment se sentir concerné. On s'imagine bien que cela doit le toucher un peu, mais il semble vraiment ne pas s'en soucier le moins du monde. Il estime que le hasard détermine à ce point la vie qu'il n'y a rien à y comprendre. Quand on essaye de donner au hasard une explication logique ou simplement quand on tente de lui en parler, Harry se contente de hausser les épaules et de s'en remettre à sa bonne étoile, dont il use et abuse, d'ailleurs, dès qu'il a le moindre dollar à parier sur quelque chose.

— Des fois on gagne, dit-il gaiement, des fois on perd. J'ai fait un paquet de trucs stupides dans ma vie. J'ai été dans le pétrin bien des fois. J'ai déjà volé pour rembourser un *bookmaker*. Les flics m'ont ramassé pour ivresse et quelque fois pour tapage sur la voie publique. Pourtant, j'ai arrêté de boire. Il y a trois ans, un médecin

* Il s'agit d'un pseudonyme.

57

m'a dit: "Harry, t'as le choix. Ou bien tu fais une croix sur l'alcool ou bien je ne te donne plus qu'un an à vivre." J'ai arrêté de boire. Les gens dans ma famille m'ont demandé pourquoi je ne m'arrêterais pas aussi de jouer. Ils m'ont dit comme ça: "Harry, t'es un vrai bouffon! Si tu peux cesser de boire, pourquoi tu ne cesserais pas aussi de jouer?" Je leur ai répondu comme ça, du tac au tac: "Qu'est-ce que ça peut bien fiche? C'est pas mortel, pas vrai? que j'ai dit. Je suis encore vivant? correct!" D'après moi, tout le monde a le droit de prendre son pauvre plaisir là où il le trouve. A part ça, peut-être qu'un jour j'vais gagner beaucoup. De toute façon, je suis sûr, dur comme fer, que j'deviendrai jamais riche autrement.

J'ai demandé à Harry si c'était la raison pour laquelle il aimait les chevaux. Les considérait-il comme un moyen de devenir riche? Il rit.

— Un moyen de devenir riche? Non, ce n'est pas tout à fait ça. Il n'y a rien à espérer. C'est possible, voilà tout! Si ça arrive, ce sera extraordinaire. Mais je serais depuis longtemps enfermé, si je m'étais assis et si j'avais commencé à espérer devenir riche. L'espoir, c'est mortel, le saviez-vous? Non! Je prends les choses comme elles viennent. Des jours, on a de la chance et d'autres, non. Y a quelques semaines, j'étais aux courses. J'avais perdu toute la journée. J'étais complètement fauché. Il me restait même pas assez d'argent pour m'acheter une boîte de "beans". A la cinquième course, il me restait cinquante sous. Bon! Ils changent de jockey. Je me dis que ça va me porter bonheur. J'y vais pis je gage tout ce qui me reste. Je gagne. Pas beaucoup, mais quand même. J'ai touché quelques dollars. Je m'en vais pour me faire payer, pis qu'est-ce que je vois par terre? Deux tickets valant chacun dix dollars sur le gagnant. Quelqu'un les avait jetés par erreur. Bon! Ça, c'est de la *vraie* manne. Je suis sorti du champ de courses avec à peu près huit sacs en poche. Cette fois-là, j'ai vraiment eu de la veine. Mais il y a bien d'autres fois où ça ne s'est pas passé comme ça. J'ai déjà gagné beaucoup, mais pas vraiment énormément. C'est d'ailleurs pourquoi je suis toujours fauché. Il m'est arrivé quelque chose, une fois. J'avais misé tout ce que j'avais sur un cheval. Il est arrivé deuxième de justesse. Il a fallu la photo pour le départager d'avec le vainqueur. Ça, c'est en plein moi. Je passe toujours tout près de gagner. Tout autour de moi, je vois des gars qui gagnent le paquet. Parfois même, je les aide. C'est comme si la chance passait à travers mon corps et frappait tous ceux qui m'entourent. Je vais t'en raconter une bien bonne. J'étais au Yonkers, un soir. Je mise cinquante contre un. Le nom du cheval, c'était Sugar Hill Millie. Je l'oublierai jamais. Je mets tout mon argent dessus et elle rentre. Photo-finish. On attend dix minutes. Finalement, mon cheval avait perdu. J'ai été à un doigt de sortir de là avec, disons, six mille dollars! Beaucoup pour un soir, hein! Eh bien, rien du tout! Je suis rentré à la maison sans un radis.

Mais c'est pas fini. Je m'arrête prendre un café au restaurant où on s'arrête d'habitude. Il y a un type avec sa femme. Ils ont passé toute la journée aux courses. Ils ont perdu énormément d'argent, puis ils sont partis tôt. J'imagine que ce n'était pas leur jour. Le type tire une tête d'enterrement comme si sa journée était vraiment fichue. Il me voit entrer. Il crie: "Eh! Harry, qui a gagné la dernière?" Je lui réponds: "Ne m'en parle pas! Je suis trop déprimé. Je pense que c'était le 7!" Le gars bondit. Il s'écrie: "Criminel! C'est mon cheval!" Il attrape sa bonne femme, laisse son gâteau sur la table et retourne précipitamment au champ de courses. Il ramasse cinq mille dollars, le type! Il était tellement sûr de perdre qu'il aurait jeté ce ticket si je n'avais pas été là.

Harry a-t-il une théorie sur la chance? Non, pas la moindre.

— Ça n'a pas de sens, dit-il. On ne sait même pas ce que c'est. Tu prends un gars! Il se comporte correctement dans la vie. Il entretient sa vieille grand-mère. Il paye ses taxes, il donne des sous pour les bonnes oeuvres. Il suffit d'aller mendier à sa porte, et hop! il te donne des sous. Puis, tu prends un autre gars. Il vole la canne blanche d'un aveugle pour la revendre. Qui gagne, hein? Le mauvais gagne aussi souvent que le bon! Bah! Y a rien à comprendre là-dedans. Si jamais tu trouves un sens à la chance, viens me le dire.

Harry s'assombrit pendant quelques instants, puis son grand sourire lui revient.

— Qu'est-ce que tout ça peut bien faire, dit-il, un jour, tu perds, le lendemain tu gagnes. Il y a toujours un lendemain, pas vrai?

2. LES THÉORIES PSYCHIQUES

Le docteur Robert Brier me regarda droit dans les yeux et me dit qu'il connaissait un système infaillible pour gagner à la roulette.

Infaillible? Le terme était fort. Je demandai au docteur Brier si c'était vraiment ce qu'il voulait dire. Il me répondit que oui. Et il ajouta un autre terme plus fort encore en disant que le système était *absolument* infaillible. Il l'avait expérimenté avec un de ses collègues dans d'innombrables casinos, de Las Vegas jusqu'à Curaçao, dit-il, et jamais ils n'avaient quitté la table de roulette avec moins d'argent qu'ils n'en avaient au moment où ils avaient commencé à jouer.

C'était un peu fort. Martin Gardner m'avait dit, de manière tout aussi catégorique: "Personne ne peut gagner régulièrement à la roulette à moins que les dés ne soient pipés et que l'on fasse partie de la combine. Evidemment, les casinos font tout pour entretenir ce mythe. Cela leur amène des joueurs." J'avais étudié toutes les martingales et tous les systèmes qui permettent soi-disant de gagner à la roulette. J'avais acquis la conviction, avec l'aide de Gardner et d'autres, qu'aucune martingale n'était infaillible. A première vue, beaucoup d'entre elles semblent plausibles. C'est peut-être pour ça qu'il y en a qui ont la vie si dure. Certaines martingales permettent de diminuer les risques de perdre, mais en même temps, et proportionnellement, elles réduisent aussi les chances de gagner beaucoup. Aucune martingale ne permet de prévoir les coups de malchance toujours possibles et dont il faut tenir compte. Essentiellement, toutes les martingales se ressemblent: on gagne quand on a de la chance.

Pourtant, le docteur Bob Brier me donnait une version différente. Brier est professeur de philosophie à l'Université de Long Island. C'est un homme sympathique, débordant d'énergie, au début de la trentaine. La parapsychologie l'a toujours intéressé — la parapsychologie est l'étude des phénomènes psychiques, les phénomènes "psi". Certains êtres humains seraient, sans que ce soit prouvé, doués de certains pouvoirs: pouvoir de lire dans les pensées d'autrui (télépathie), de prédire l'avenir (voyance ou prémonition), de faire bouger ou d'exercer une influence physique sur les objets inanimés par sa seule force mentale (psychokinésie). La martingale "infaillible" de Brier repose sur la prémonition.

Comment fonctionne-t-elle et quels sont ses fondements?

— Si l'on pouvait, dit-il, prédire l'avenir de façon absolument infaillible, on pourrait jouer à la roulette sans aucun risque. Si l'on savait d'avance quand le rouge, ou le noir, va sortir, on pourrait s'asseoir tranquillement, doubler et redoubler ses mises tous les soirs jusqu'au moment d'atteindre le plafond qu'autorise le casino. Bien! Il *existe* des gens capables de prédire l'avenir. Hélas! aucun ne le peut de façon infaillible. C'est un des grands problèmes de la parapsychologie. Les pouvoirs "psi" peuvent être très efficaces un jour et, le lendemain, ne plus fonctionner du tout. Sur une assez longue série de prédictions concernant les cartes ou les numéros de roulette, un voyant voit généralement juste dans une proportion qui est de dix pour cent supérieure au simple hasard. Cependant, il existe des temps plus courts où ces pouvoirs "psi" ne fonctionnent pas. On voit tout de suite le genre de problèmes que cela provoque. Si l'on pouvait s'adjoindre un voyant pendant, par exemple, un mois pour jouer au casino, on en sortirait gagnant, c'est sûr. Mais cette façon de procéder ne serait pas pratique. D'abord, il faudrait une grosse réserve pour continuer de miser même quand les pouvoirs "psi" ne marchent pas. Et, en plus, jouer de cette façon serait d'un ennui mortel...

C'est donc le principal obstacle que rencontra le docteur Brier en mettant au point sa martingale infaillible. En gros, voici comment il procéda:

Il fit appel à une jeune étudiante qu'il identifie par ses initiales: H. B. Elle avait déjà fait la preuve de ses dons de voyance. Il lui demanda de prédire l'ordre dans lequel sortiraient le rouge et le noir sur une série de cinquante coups dans un casino donné en lui précisant l'heure et la date. Elle répéta l'exercice un certain nombre de fois, à plusieurs jours d'intervalle. Brier avait donc toute une série de prédictions qui portaient sur la même suite de cinquante coups. Pour chaque coup, il releva dans l'ordre la couleur prédite le plus souvent. C'est celle-là qu'il garda. Il espérait de la sorte diminuer le manque de fiabilité des prédictions.

A la date prévue, il se rendit donc à Curaçao, au casino déjà choisi, avec son ami Walter Tyminski. Le jeu est la passion de Tyminski. Il est président de la compagnie Rouge et Noir, qui édite des revues spécialisées sur les jeux de hasard. Pendant un certain nombre de tours, Brier et Tyminski observèrent la concordance des prédictions de H. B. et les résultats réels du jeu. Ces prédictions s'avéraient beaucoup plus exactes que s'ils s'étaient fiés au simple hasard. Ils commencèrent donc à parier sur ce qui restait des cinquante coups, en se basant bien sûr sur les prédictions correspondantes. D'abord, ils misèrent peu, puis jouèrent de plus en plus fort. Ils quittèrent le casino considérablement plus riches qu'à leur arrivée. Brier refuse toutefois de dire de combien ils se sont enrichis, à ce moment-là.

Si les pouvoirs "psi" existaient, ils seraient très utiles pour essayer d'expliquer d'où vient la chance. Cependant, l'étude des phénomènes psychiques est une drôle d'affaire. Ceux qui y croient veulent que l'on élève la parapsychologie au rang d'une science (et c'est ainsi que je l'ai classée ici), mais les autres sciences, visiblement, ne semblent pas d'accord pour lui accorder ce statut. Pour le moment, il semble, au mieux, qu'on puisse ne lui accorder qu'un statut de science de second ordre.

Certains physiciens, biologistes et autres hommes de science pensent que les phénomènes psychiques existent vraiment et que la parapsychologie constitue un champ d'étude extrêmement sérieux. D'autres admettent cette possibilité, mais sans grande conviction. D'autres encore pensent qu'il s'agit d'une forme d'obscurantisme revêtue d'une toge universaire. D'autres, enfin, estiment que c'est tout simplement une vaste fumisterie.

Le problème, avec la parapsychologie, c'est qu'elle implique certaines forces qui ne peuvent être mesurées ni décrites de façon satisfaisante — ou, en tout cas, qui ne l'ont pas encore été. De plus, même si on reconnaît l'existence de ces forces, il est très difficile de comprendre leur fonctionnement. S'il est possible à H.B. d'être assise à New York et de prévoir les résultats d'un jeu de hasard qui aura lieu un mois plus tard à Las Vegas ou à Curaçao, comment donc ces informations lui parviennent-elles? De quelle forme d'énergie originent-elles? De quelle façon peut-elle en prendre conscience? Quel est le support de ces forces? Les parapsychologues ont beau essayer d'inventer des réponses, tout ce qu'ils réussissent à faire le plus souvent, c'est de rendre la chose encore plus obscure.

Comme le notait le docteur Brier, dans la revue *Social Policy:* "La parapsychologie est une science qui étudie des phénomènes inexplicables selon le schéma conceptuel de la physique moderne." Si les phénomènes "psi" existent effectivement, la science contemporaine ne peut les expliquer, du moins la science telle que nous la connaissons en Occident. Certaines sciences ou philosophies orientales semblent tenir davantage compte de l'existence possible des forces "psi". Mais, pour l'homme de science occidental qui fonde toutes ses théories sur la logique et pour qui toute expérience doit pouvoir se vérifier rationnellement, les phénomènes psychiques sont un vrai casse-tête — et un fléau, s'il doute un tant soit peu de leur existence. Il préférerait qu'on ne lui en parle pas.

Ceci semble peu probable. Comme il semble tout aussi peu probable que la parapsychologie soit réellement reconnue comme une science exacte, parmi les autres sciences, du moins pour ce qui est de notre génération. On peut prédire à coup sûr que le débat va se poursuivre. Les parapsychologues continueront d'essayer d'accumuler des preuves pour montrer qu'ils ont raison et les autres hommes de science continueront de démontrer que leurs preuves n'en sont pas.

La plupart des preuves fournies à ce jour proviennent d'expériences de laboratoire pendant lesquelles certaines personnes devinaient, sans les voir, quelle carte l'expérimentateur mettait sur la table. Le docteur Joseph Banks Rhine, un jeune botaniste, popularisa ce genre d'expérience au cours des années 20. C'est lui qui inventa plus ou moins la parapsychologie (auparavant, l'étude de ces phénomènes avait été rangée dans la catégorie des sciences occultes). Rhine et ses partisans découvrirent certains médiums humains: des gens qui étaient capables de "savoir" certaines choses qui ne peuvent se percevoir à l'aide des cinq sens connus.

Chaque parapsychologue a un partenaire préféré. Hubert Pearce, étudiant en théologie, a été pendant longtemps celui de Rhine. Rhine et Pearce faisaient leurs démonstrations avec des jeux de cartes spéciaux. Chaque jeu contenait vingt-cinq cartes. Chaque carte était marquée d'un symbole. Il y avait cinq symboles différents par jeu. Si vous n'avez aucun talent pour la perception extrasensorielle et si vous devez deviner l'ordre dans lequel les cartes vont tomber, statistiquement, selon les lois de la probabilité, vous aurez cinq réponses exactes pour chaque suite de vingt-cinq cartes. Pendant un certain temps, Pearce est arrivé à deviner sans se tromper jusqu'à dix cartes par suite. Il a même obtenu une fois un résultat parfait de vingt-cinq bonnes réponses. La chance d'obtenir par hasard pareil résultat est infime. "Cela ne peut s'expliquer uniquement par la chance, insiste Rhine. Nous sommes en présence d'autres forces. Il faut donc admettre l'existence de la perception extra-sensorielle."

D'autres parapsychologues sont arrivés à des résultats encore plus troublants. Selon le *Livre des records mondiaux,* de Guiness, le professeur Bernard Reiss, du collège Hunter à New York, a réussi en 1936 l'exploit le plus fascinant de tous. Son partenaire préféré était une femme de vingt-six ans. Reiss tourna soixante-quatorze fois de suite les vingt-cinq cartes de son jeu. La jeune femme obtint une fois un résultat parfait de vingt-cinq réponses exactes et, à deux reprises, donna vingt-quatre bonnes réponses. Sur les soixante-quatorze tours, sa moyenne s'établit à 18,24 réponses exactes sur 25. "Elle n'avait pourtant, dit Guiness, qu'une chance sur dix, suivie de sept cents zéros, d'obtenir un tel résultat." Le professeur Reiss, bien sûr, fait écho au docteur Rhine: "Cela ne peut s'expliquer simplement par la chance, donc..."

"Donc... rien," répondent en choeur d'autres hommes de science. Le docteur Warren Weaver, champion de la théorie du probable, compte parmi ceux que cette performance n'impressionne pas. Il évoque la première des deux lois de la probabilité: tout se peut, et donc finit par arriver. Le taux élevé de bonnes réponses d'Hubert Pearce et d'autres, prétend le docteur Weaver, est attribuable au hasard et doit être considéré comme un coup de chance inhabituel. Le docteur Weaver admet que, statistiquement, les possibilités d'obtenir un tel taux de réponses exactes sont infimes. C'est d'ailleurs ce qui fait paraître le résultat aussi étrange, difficile à interpréter en termes de simple hasard. "Mais mon interprétation hasardeuse, insiste-t-il, ne l'est pas plus que celle du docteur Rhine". Rhine avait à choisir entre deux interprétations, tout aussi bizarres l'une que l'autre. Il a choisi arbitrairement l'une des deux parce qu'elle *lui* semblait la plus vraisemblable. Pour Weaver, Rhine a choisi la mauvaise. "Je n'accepte pas son interprétation."

Pourtant, si Rhine avait raison, ce serait bien pratique. Si l'on pouvait un jour prouver que la perception extra-sensorielle existe bel et bien, cela permettrait beaucoup plus facilement de savoir pourquoi certaines personnes ont de la chance et d'autres pas. Les êtres qui ont le plus de chance seraient, si l'on s'en tient à ce schéma, ceux qui ont les plus puissantes facultés psychiques.

Si l'on était capable de lire dans les pensées d'autrui, juste de temps en temps et même inconsciemment, cela augmenterait de beaucoup la chance au poker, en affaires, en amour ou pour l'achat d'une voiture d'occasion, par exemple. Si l'on pouvait connaître une partie de l'avenir, même imprécisément, on deviendrait à coup sûr des gagnants de Las Vegas et des champions dans les spéculations boursières. On serait toujours là quand il faut, où il faut, pour trouver le bon emploi ou acheter le bon billet de loterie. Si l'on parvenait à influencer les objets physiques avec le seul pouvoir de l'esprit, même maladroitement, ce serait d'une inestimable utilité. On pourrait contrôler le roulement des dés ou la façon dont les cartes se mélangent — peut-être pas toujours avec précision mais assez pour gagner presque à tout coup. On pourrait faire en sorte que le billet de loterie qu'on vient d'acheter sorte gagnant chaque fois. On pourrait détourner les automobiles pour ne jamais avoir d'accident. On pourrait...

Evidemment, ces hypothèses permettent de belles rêveries. Mieux vaut pourtant ne pas laisser celles-ci émousser le couperet tranchant du scepticisme. Bien des hommes de science l'ont à juste titre souligné: l'un des traits communs à toutes ces histoires de "psi", c'est le beau rêve qu'elles sous-tendent. Il s'agit de pouvoirs que tout être humain souhaite posséder. Autant et aussi ardemment les parapsychologues que n'importe qui.

Il n'en reste pas moins que certains indices montrent que le docteur Rhine pourrait bien ne pas avoir tort. Après tout, des gens comme lui-même ou le docteur Brier ne sont pas cinglés. S'ils prétendent qu'une chose existe, il vaut mieux écouter attentivement leurs arguments plutôt que de se faire soi-même une opinion à priori. Examinons donc le résultat de leurs travaux.

La recherche sur le psychisme semble suivre des modes. Les trois principales théories de la parapsychologie—sur l'existence de la télépathie, de la voyance et de la télékinésie — gagnent et perdent en popularité selon les années. Nombre de chercheurs admettent les trois. D'autres, au contraire, n'acceptent que l'un ou l'autre de ces théories. Quelques-uns, par exemple, reconnaissent une plus grande crédibilité à la télépathie. Il semble, en effet, plus facile d'imaginer comment elle fonctionne. Si H.B. est capable de lire dans la pensée, c'est sans doute étrange mais tout de même moins que de prévoir l'avenir. La télépathie ne semble pas trop aller à l'encontre des lois physiques connues. L'esprit, après tout, est constitué d'éléments hétérogènes qui (pour moi) existent vraiment. Je le sens fonctionner, s'activer, cliqueter. Toute cette activité génère probablement une sorte d'énergie. Il est assez concevable que le cerveau de H.B. puisse en enregistrer ou en recevoir des échos. La notion de communication d'esprit à esprit a dominé les recherches sur le "psi" à certaines époques. C'était pour prouver son existence que Rhine et Pearce ont commencé leurs historiques parties de cartes.

A l'heure actuelle, ce sont les études sur la voyance qui prédominent. Elles sont à la mode depuis le début des années 60. Certains voyants célèbres — comme, par exemple, Jeanne Dixon qui prétend avoir prédit plusieurs des grandes malchances nationales, entre autres, l'assassinat des frères Kennedy — non seulement ont réussi à frapper l'imagination populaire mais aussi celle des chercheurs qui travaillent sur le "psi". Pour ne pas prolonger indûment ce chapitre et pour le rendre le plus intéressant possible, je me contenterai d'examiner ici quelques études sur la voyance. Tout ce qui sera dit à son propos s'applique également aux deux autres théories psychiques.

De nombreux groupes, autant aux Etats-Unis qu'ailleurs dans le monde, étudient actuellement la prémonition en même temps que les autres phénomènes "psi". Il est assez surprenant de voir que certains des plus importants (et, à bien des égards, étranges) se retrouvent dans la partie du monde la plus matérialiste, l'Union Soviétique. Aux Etats-Unis, le groupe le plus important et le plus respecté est l'A.S.P.R., *American Society for Psychical Research.* (Société Américaine de Recherche Psychique). Des penseurs de grand renom ont écrit des articles dans les diverses publications de cette société, notamment Sigmund Freud. Elle a son siège dans un édifice de pierres brunes, sombre, secret, mystérieux à souhait, près du Central Park, à New York. Le directeur de la recherche est le docteur Karlis Osis, un homme grand, mince, d'origine lettonne, qui parle un anglais très scolaire avec un accent très prononcé.

Le docteur Osis s'intéresse à tous les aspects de la recherche sur le "psi", mais particulièrement à la voyance.

— Les gagnants de loterie m'intriguent, m'a-t-il confié. Certaines recherches récentes portent sur le phénomène. Il semble que la voyance y joue un rôle dans bien des cas. Le futur gagnant marche dans la rue, sans penser du tout à la loterie. Soudain, il lui vient comme une intuition: "Il me faut aller dans ce magasin et acheter un billet de loterie. Je suis sûr qu'il va gagner." Il achète le billet et gagne. Cela semble se produire souvent.

C'est exact. Il existe bien des histoires étranges à raconter sur le sujet. Robert Bronson, âgé de vingt-trois ans, savait qu'il gagnerait à la loterie spéciale de Noël dans le Maryland, voici quelques années. Il acheta plusieurs billets. Il avait une femme et des enfants à faire vivre et juste assez d'argent pour joindre les deux bouts. Quand il revint à la maison avec ses billets, sa femme le prit très mal, mais — comme il l'a dit plus tard aux journalistes — lui, par contre, se sentait très calme. Le numéro d'un des billets comportait plusieurs fois le chiffre sept. Le sept était son chiffre porte-bonheur et il était persuadé que ce billet le ferait gagner. Il remporta d'abord cinq cents dollars et, du même coup, se qualifia pour le tirage final qui devait avoir lieu dans un auditorium de Baltimore.

Juste avant que l'on ne proclamât le nom du gagnant, Bronson se leva. Tout se passa comme s'il avait entendu dire son nom. Les gens le regardèrent en silence. On désigna le gagnant. C'était bien lui. Le gros lot était de un million de dollars.

Ce genre d'anecdotes réjouit le docteur Osis. Les histoires de ceux qui gagnent à plusieurs loteries, et plus souvent qu'il ne serait normal, le fascinent encore plus.

— De telles personnes ont sans doute un grand talent de voyance, dit-il. Qu'ils l'utilisent consciemment ou non, c'est pourtant là sans doute la cause fondamentale de leur chance.

Son raisonnement est évidemment séduisant. Si l'on gagne une fois, on peut se figurer que c'est dû à un coup de chance, du genre de celle qu'admet le docteur Weaver. Par contre, si on se met à gagner plus d'une fois, beaucoup plus que la moyenne des autres personnes, il y a lieu de se demander comment il se fait que l'on soit si favorisé. Voici, par exemple, l'histoire de Randy Portner. Il vit à Rhone, dans l'Etat de New York. Il a vingt et un ans. Il a commencé à jouer à la loterie, il y a dix-huit ans. Depuis lors, il a gagné dix-neuf fois.

Plusieurs de ces prix étaient relativement petits: vingt-cinq dollars, cent dollars. Une fois, ce fut quand même cinquante mille dollars. En règle générale, ce qu'il gagna fut toujours assez consistant. Randy Portner aujourd'hui est relativement riche, surtout si l'on tient compte de son âge. Il pourrait l'être encore plus, mais on a interrompu pendant longtemps les tirages de la loterie de l'Etat de New York à cause d'une enquête sur sa prétendue mauvaise gestion.

— Je ne parviens pas à m'expliquer pourquoi je gagne si souvent, me dit-il. J'achète des billets assez régulièrement mais pas plus que la moyenne des gens que je connais et qui ne gagnent jamais un centime. Ma chance a commencé au moment où je venais de quitter mes études secondaires. Je travaillais dans une épicerie. Le magasin vendait des billets. Quand il me restait un peu d'argent et que je me sentais en veine, j'en achetais. C'est bizarre, cette sensation de se sentir en veine. Certaines semaines, je sentais que cela n'aurait servi à rien d'acheter des billets. J'étais sûr de perdre, comme si j'avais su qu'il n'y avait aucun billet gagnant dans le magasin. D'autres semaines, j'avais le pressentiment que les bons billets devaient s'y trouver. Alors j'en achetais plusieurs. Presque chaque fois, j'ai gagné. C'était fou. Comme j'ai dit, je ne peux pas l'expliquer réellement. D'autres gars en achètent et perdent tout le temps. Ils viennent me demander: "Pourquoi est-ce que je ne gagne jamais rien, moi?" Que puis-je leur répondre? Je n'en sais rien.

Randy Portner semble douter de son don de voyance. Le docteur Osis, en analysant son cas et d'autres cas identiques, en doute beaucoup moins. "Comment expliquer, dit-il, sinon par la voyance que certains ne gagnent jamais rien — jamais, *jamais* — alors que d'autres gagnent une douzaine de fois, et même plus? Selon moi, ce ne peut être simplement la chance."

Le docteur Osis s'intéresse aussi au rôle que peut jouer la prémonition pour éviter les accidents. On a écrit beaucoup de choses intéressantes sur le sujet mais aussi pas mal d'âneries. Il semble que tout ait commencé avec le naufrage du Titanic en 1912. Il y eut plus de mille cinq cents victimes. Au cours des mois qui suivirent, les rédacteurs en chef remplirent les pages de leurs journaux et revues avec des histoires de personnes qui auraient dû être à bord et qui, pour quelque raison, ne s'y trouvèrent pas. La manchette se répétait d'une fois à l'autre: "Un (blanc) m'a sauvé." Ami lecteur, vous pouvez remplir ce blanc avec les mots ou les phrases suivantes, au choix: rêve, intuition, coup de chance, tireur de cartes, vision dans une église, demande pressante d'un enfant, chien, etc. Depuis lors, à chaque grande catastrophe, tous les rédacteurs en chef savent que le même genre d'histoires ne manquera pas de leur arriver en série — sinon, qu'on en inventera. Tous ces récits sont toujours racontés après l'événement, jamais avant. Voilà le problème! Autrement, on pourrait éviter les catastrophes. Par ailleurs, peu de ces histoires ont été vraiment vérifiées.

Le docteur Louisa Rhine, épouse du parapsychologue dont il a déjà été question, a, pendant des années, collectionné avidement tous ces récits où la voyance préserva quelqu'un d'une catastrophe. Elle est convaincue qu'au moins quelques personnes pressentent, du moins de temps en temps, le moment où la malchance va croiser leur chemin et parviennent ainsi à l'éviter. Dans *Hidden Channels of the Mind,* elle raconte l'histoire d'une mère de famille qu'un rêve étrange, une nuit, réveilla. Cette dame vivait dans une vieille maison délabrée. Dans son rêve, elle l'avait vu ébranlée par un violent orage. La maison s'était mise à trembler et un vieux chandelier très lourd était tombé sur son bébé dont le berceau était placé juste en-dessous.

Le cauchemar réveilla la mère en sursaut. Dehors, la nuit n'était pas orageuse. Elle était même très calme et très douce. Elle poussa pourtant le lit de son bébé, hors d'atteinte du chandelier au cas où il tomberait.

Des histoires comme celles-ci ne sont jamais très passionnantes parce que, dès le début, on en connaît la fin. Plus tard dans la nuit, est-il utile de le préciser, un violent orage éclata soudain. La vieille maison se mit à trembler et le chandelier tomba.

Madame Rhine a sans doute vérifié soigneusement ses sources. Elle est convaincue en tout cas de l'authenticité du récit, même sans preuve et sans possibilité de preuve. De telles histoires étonnent toujours: existe-t-il d'autres explications concevables et plausibles? L'histoire prouve-t-elle réellement qu'il y eut prémonition? Le chandelier est peut-être tombé comme on lui a raconté, peut-être aussi la mère a-t-elle eu le temps de bouger le lit avant que cela ne se produise. Peut-être aussi l'a-t-elle poussé pour une autre raison que son rêve et, par la suite, quand elle a vu le lourd chandelier sur le parquet, a-t-elle tout simplement imaginé ce qui aurait pu arriver. L'horreur d'une telle situation l'a peut-être mise dans un état émotif tel qu'elle ne pouvait plus distinguer le passé du présent, le rationnel du fantasque. Le rêve peut ne jamais avoir eu lieu, sauf peut-être après coup, alors qu'elle ne dormait plus.

Le fait que la plupart d'entre nous *souhaitent* que ce genre d'histoires soient vraies constitue également un problème. On le veut tellement que l'on perd parfois tout sens critique. On veut que l'histoire de cette mère de famille soit vraie pour au moins deux raisons. D'abord, même si elle n'est pas tout à fait convaincante, il n'en reste pas moins qu'elle est assez bonne et qu'elle s'accompagne d'un petit frisson d'effroi. Ensuite, celui qui l'entend espère avoir, lui aussi, quelques dons de voyance inconnus et peut-être pouvoir les utiliser inconsciemment. L'anecdote permet à chacun de se dire qu'il lui est possible de contrôler sa chance mieux qu'il ne le pensait.

Le docteur Osis, même s'il accepte l'authenticité de tels récits, considère que le problème de la vérification des faits reste très sérieux. Il est presque impossible à résoudre. Le docteur Osis connaît un parapsychologue qui a tenté une vérification avec ce qui, à première vue, semblait être une approche intelligente. Son analyse était froidement statistique et aurait dû produire une preuve tout aussi rationnelle — si seulement il avait pu la mener à bien.

Le parapsychologue raisonnait ainsi: "Si, comme nous le supposons, il existe beaucoup de personnes douées d'un "psi" conscient (ou inconscient), elles devraient être passablement nombreuses à éviter de monter dans un avion qui va s'écraser. Ce fait peut-il se démontrer et être quantifié? Sans doute. Il me faut simplement demander aux compagnies d'aviation les listes d'annulation de sièges et le nom des personnes qui ne se sont pas présentées au moment du décollage. Dans le cas d'un avion qui aura un accident, on devrait constater qu'un certain nombre de passagers ne sont pas montés à bord. En moyenne, ce nombre devrait être plus élevé que dans le cas des avions qui ne s'écrasent pas."

Brillant! Malheureusement, cette recherche n'a jamais pu se faire. Les compagnies d'aviation qu'il a contactées ont toutes estimé que ce genre d'étude nuirait à leur réputation.

Margaret Murdrie est ménagère. Elle a cinquante et un ans. Elle est cordiale et bavarde. Elle vient de Surrey, en Colombie britannique. Elle parle avec cet accent un peu étrange (pour des oreilles américaines) qui est celui de l'Ouest canadien. Elle considère que, dans l'ensemble, elle a de la chance. Celle-ci, estime-t-elle, est plutôt cyclique que constante. "Elle va et elle vient, dit-elle. De temps en temps, j'ai une sorte d'intuition. Je ne puis pas vraiment la décrire, mais disons que c'est comme une brève sensation, quelque chose me dit de faire ceci ou cela, ou d'aller à tel ou tel endroit. C'est comme une impulsion soudaine. Cela n'arrive pas souvent mais, quand cela se produit, je sais ce qu'il me reste à faire. C'est comme cela depuis longtemps: ça va, ça vient. Le plus souvent, cela m'a aidé à avoir de la chance. Nous menons, ma famille et moi, une vie heureuse."

Son mari manoeuvre une excavatrice: "Il creuse des trous, des gros, des petits, tout ce qu'on veut." Ils ont sept enfants dont quatre mariés. Les plus jeunes vivent encore à la maison mais subviennent à leurs besoins. Margaret et son mari prennent à l'occasion une semaine de vacances. L'hiver, ils vont dans le Nevada, en partie à cause du climat et en partie pour jouer: "J'adore jouer aux machines à sous, dit-elle. J'ai entendu dire que les chances de gagner sont faibles mais j'aime jouer de toute façon. C'est ma vraie récréation."

Elle a raison. Les chances de gagner sont faibles, plus faibles qu'à n'importe quel autre jeu qui se pratique dans les casinos du Nevada. Tout adepte de la théorie de la probabilité qui a étudié un tant soit peu les mécaniques de ces machines bruyantes et inélégantes se garde bien de s'en approcher. Margaret Murdrie n'est pas une adepte de la théorie de la probabilité.

Le 22 janvier 1976, le deuxième jour de leurs vacances d'hiver, son mari et elle sont arrivés à Reno. Ils sont allés au Harold's Club. Des rangées et des rangées de machines à sous étaient alignées devant eux. Elles étaient peu utilisées: "J'avais donc la possibilité de choisir n'importe laquelle. J'ai marché droit vers une machine qui semblait — je ne sais pas — m'attirer. C'était mystérieux. Je n'ai pas hésité. *J'ai su* que c'était la machine avec laquelle je devais jouer."

La machine avalait des pièces d'un dollar. Margaret Murdrie la nourrit neuf fois de suite. Elle se souvient d'avoir été comme intriguée de constater que cette machine avait simplement digéré son argent sans même lui dire merci. Avec son dixième dollar, elle gagna le "jack pot", un gain si gros qu'il est resté dans les annales.

Ce type de machine est doté de deux compteurs indépendants. Chacun marque le montant du gain possible. Chaque fois que quelqu'un glisse une pièce dans la machine et manoeuvre le levier, le chiffre de l'un ou l'autre des compteurs augmente. Pour gagner, il faut que le chiffre sur lequel on tombe et le montant enregistré au compteur, coïncident. C'est d'ailleurs ce montant-là qu'on remporte. Puis, le compteur retourne à son état premier, habituellement cinq mille dollars, cependant que l'autre continue placidement à grimper comme si de rien n'était. Avec de pareilles machines, il se peut que plusieurs joueurs gagnent successivement sur le même compteur mais que, pendant des années, personne ne gagne rien sur l'autre. L'espoir le plus cher de tous les joueurs est de tomber sur un compteur qui a continué d'augmenter pendant très, très longtemps sans que personne ne gagne rien dessus.

C'est ce que Margaret Murdrie a fait. Personne n'avait, depuis des années, gagné sur son compteur. Elle a remporté la plus grosse somme qu'aucune machine à sous ait jamais permis à qui que ce soit de toucher dans toute la longue histoire de Harold's Club. Elle est rentrée au Canada avec cent treize mille deux cent trente-deux dollars.

3. LA THÉORIE DU SYNCHRONISME

Nous avons déjà noté plus haut que les coïncidences peuvent servir à prouver à la fois tout et rien du tout. Il serait peut-être utile cependant d'en étudier deux autres ici. Après les avoir examinées, nous les analyserons à la lumière d'une troisième théorie à caractère scientifique sur le fonctionnement de la chance.

Les divers défenseurs de cette troisième théorie lui ont aussi donné divers noms. Certains l'ont appelée "théorie du synchronisme", d'autres "théorie de la sérialité", d'autres encore, "effet du cumul". Pour éviter toute confusion, je m'en tiendrai à une seule appellation: celle de théorie du synchronisme.

On a toujours eu pour le synchronisme moins de respect (pour employer un terme gentil) que pour la théorie de la probabilité ou la théorie psychique. En fait, la plupart des partisans de la théorie de la probabilité estiment que la théorie du synchronisme n'appartient pas à la triade "scientifique" des explications du fondement de la chance. Ils recommandent de la reléguer dans la catégorie des théories "occultes" ou "mystiques".

Pour ses partisans, ce serait dégradant. Pour les adeptes du mysticisme et de l'occultisme, ce serait sans doute une promotion. Pour moi, ce n'est ni l'un ni l'autre, ni une médaille d'or ni un bonnet d'âne. J'ai choisi d'inclure le synchronisme dans la triade "scientifique", en dépit de ses connotations mystiques occasionnelles, parce qu'il repose sur un fond de pragmatisme occidental, d'allure scientifique.

Ses partisans la justifient, ou font de leur possible pour la justifier, en recourant à la physique, aux mathématiques ou à tout autre science, plutôt qu'au mysticisme.

Voyons donc ce qu'on peut en tirer.

Clarence Kelley, directeur du F.B.I., m'a raconté la première histoire sur les coïncidences que je vais rapporter ici. Elle est mystérieuse. Beaucoup de ceux qui travaillent dans les quartiers généraux du F.B.I., à Washington particulièrement, la connaissent — et spécialement ceux qui sont attachés à la section Identification où l'on a classé quelque cent soixante millions d'empreintes digitales. L'histoire se raconte aux visiteurs qui demandent pourquoi le F.B.I. consacre tant de temps et tant d'énergie à garder ces empreintes d'index et de pouce.

J'ai posé la question à Kelley pendant une conversation à bâtons rompus sur le F.B.I., sur ses espoirs et ses craintes. Kelley est un gros bonhomme sympathique. Il est âgé d'environ soixante-cinq ans. Il a un visage amical et avenant. Quand je lui ai posé des questions sur les empreintes, il a souri du sourire de celui qui en a une bien bonne à raconter. Il s'est calé dans son fauteuil, a allumé une cigarette et m'a demandé: "Avez-vous déjà entendu parler de Will West?"

— Non!"

Kelley était, de toute évidence, ravi que je n'aie jamais entendu parler de Will West. Il s'est donc mis à me raconter son histoire. "L'enquête policière est devenue une science, dit-il, au début du XIXe siècle. Un des problèmes qu'ont dû affronter les policiers et les scientifiques qui servaient la justice a été, tout au long de ce siècle, le problème d'une identification qui puisse être absolument incontestable. Si vous faites enquête sur un crime et si vous trouvez un témoin qui vous dit qu'un certain Joe Smith était sur les lieux, comment être certain que le témoin dit vrai? Si alors apparaît un policier qui confirme: "Ouais! Je connais ce Smith. C'est un criminel d'habitude, je l'ai déjà arrêté." Et si Smith, lui, vous affirme qu'il ne sait même pas à quoi ressemble l'intérieur d'un poste de police, comment trouver la vérité?"

Les criminologues du XIXe siècle cherchaient une méthode d'identification infaillible. Il ne suffit pas de dire: "Je reconnais ce visage!" Trop de visages se ressemblent. Il est déjà arrivé, dans l'histoire de la police, d'avoir affaire à deux hommes ou deux femmes qui, non seulement se ressemblaient et s'habillaient de la même façon, mais aussi dont les voix avaient le même timbre, qui avaient les mêmes initiales et qui étaient tellement pareils que même le témoin le plus intelligent pouvait être induit en erreur. Les criminologues cherchaient donc un trait ou une série de traits uniques à chacun des êtres humains. Quelque chose qui ne puisse jamais se retrouver ou se répéter, de façon à éliminer toute possibilité de coïncidence.

Vers 1810, un anthropologue français, Alphonse Bertillon, trouva une solution. Le système Bertillon, comme on l'a appelé, reposait sur les mensurations du crâne et de certaines autres parties osseuses du corps des individus. Bertillon lui-même a pris des milliers de mesures. Des policiers en ont pris des centaines de milliers d'autres après lui pendant les trente dernières années du siècle passé. Il semblait qu'on avait enfin trouvé la caractéristique individuelle unique si longtemps cherchée. Les mesures prises par Bertillon étaient réellement différentes pour chaque personne, même dans le cas de jumeaux ou de parents, à condition qu'elles fussent prises avec assez de précision. De plus, Bertillon mit au point une formule qui prouva que les mensurations d'un être humain adulte restent constantes.

C'est en 1903 que Will West a fait son entrée en scène. Son aventure a marqué la fin du système Bertillon et a amené l'usage généralisé du système d'identification actuel basé sur les empreintes digitales.

West, reconnu coupable d'un crime, avait été envoyé au pénitencier fédéral de Leavenworth, au Kansas. Interrogé sur ses antécédents judiciaires, il jura n'avoir jamais eu de démêlés avec la police. Il savait qu'on traitait moins bien les récidivistes et qu'ils avaient beaucoup moins de chance d'être libérés sur parole que ceux qui étaient condamnés pour la première fois. Il prétendit donc avoir été jusque-là un excellent citoyen, respectueux des lois. Le gardien qui reçut West à la prison avait l'impression de connaître ce visage. A l'aide d'un compas, il prit donc les mensurations de West selon le système Bertillon. Puis il vérifia dans son fichier s'il n'existait pas de carte portant des mensurations correspondantes à celles de West. Avec un air triomphal, il en sortit une. La fiche portait le nom de William West.

— Jamais été en prison avant, hein! ricana le gardien. Cette fiche prouve que vous êtes un sacré menteur. Non seulement vous avez déjà été condamné mais c'est ici même, à Leavenworth, que vous avez purgé votre peine.

— Je n'ai jamais mis les pieds dans cette prison de ma vie! protesta West.

— Si je vous écoutais, dit le gardien, il y aurait deux types non seulement dont les mensurations seraient les mêmes mais en plus qui porteraient le même nom. Même en dix mille ans, une telle coïncidence ne pourrait se produire.

— C'est pourtant bien ce qui se passe! hurla West.

Et c'était en effet le cas. On finit par écouter les protestations de West et, en procédant à de plus amples vérifications, on tomba sur une accumulation de coïncidences tout à fait incroyables. Le second West avait été à Leavenworth pendant longtemps et s'y trouvait encore, presque oublié, en train de purger une condamnation à vie pour meurtre. On mit les deux West en présence. La similitude au niveau des visages et de l'aspect général était frappante — ils se ressemblaient comme des frères jumeaux. En regardant leurs photos aujourd'hui, de face comme de profil, il est absolument impossible de les différencier.

A la même époque, quelqu'un à Leavenworth se faisait le propagandiste d'un système d'identification par les empreintes digitales. Pour lui, ce cas curieux était une occasion rêvée. Il prit les empreintes des deux hommes. Elles ne se ressemblaient pas du tout. Depuis lors, les empreintes digitales sont devenues, au criminel, un moyen d'identification généralisé. Jusqu'à présent, il semble que ce soit le meilleur de tous les systèmes. Notez bien: "Jusqu'à présent". Car, pour le moment, rien ne prouve que ce système est tout à fait à l'abri des coïncidences. Il n'existe théoriquement aucune raison pour qu'il le soit. L'an prochain, ou dans quelques centaines d'années, on trouvera peut-être deux personnes qui auront les mêmes empreintes digitales (en fait, selon les premières lois de la théorie de la probabilité," tout ce qui peut arriver finit par arriver). Mais en autant que le F.B.I. le sache, un cas semblable ne s'est jamais répété ailleurs au monde.

Ma prochaine histoire de coïncidences va se passer au casino. Elle porte sur ce bon vieux casse-tête, si difficile à comprendre: les coups de chance en série. Elle est plus ancienne que le cas Will West. C'est l'histoire de l'Homme-qui-fit-sauter-la-banque-à-Monte-Carlo.

Une chanson en vogue portait ce titre au tout début de la Belle Epoque. On la chantonnait encore parfois entre 1920 et 1930. En ce temps-là, la plupart de ceux qui l'entendaient se disaient que ce n'était qu'une chanson, faisant partie sans doute d'une opérette ou d'un vaudeville. Mais, en réalité, elle ressemble fort à un reportage chanté. L'histoire qu'elle raconte est absolument authentique. Un homme fit sauter la banque à Monte-Carlo, et non pas une fois: trois fois.

Pour commencer, il est bon de préciser que "faire sauter la banque", d'un strict point de vue financier, est beaucoup moins terrible que l'expression ne le laisse supposer. Elle tire son origine d'un slogan publicitaire inventé par un gérant de casino pour attirer de nouveaux joueurs à ses tables. "Faire sauter la banque" signifie donc gagner tout l'argent que le casino alloue à une table — montant qui, à l'époque, se chiffrait aux alentours de cent mille francs français. Quand un joueur faisait sauter la banque, cette table était fermée pour le reste de la soirée. On l'enveloppait cérémonieusement d'un grand drap noir. Le lendemain, elle était, bien sûr, rouverte au jeu. Le gérant était malin. Il avait vu juste. Cette table attirait les joueurs qui pensaient qu'elle portait effectivement malheur au casino.

Charles Wells était anglais. Il était petit, gros et plutôt mystérieux. Il était vaguement inventeur et spéculait à ses moments perdus. Il arriva à Monte-Carlo avec quelques billets de cent francs en poche. Il s'installa à une table de roulette et commença à jouer sur les rouges et les noirs — c'est-à-dire pour un gain possible égal à la mise. Il joua le noir plusieurs fois. Ensuite, il passa au rouge, misa un peu dessus et revint au noir. Il était en veine. Il gagna à presque tous les coups. Le croupier l'examinait avec intérêt d'abord, puis de plus en plus sidéré. Wells gagna toute la nuit.

Il n'avait apparemment pas de martingale. A la différence de nombreux autres joueurs de roulette, il ne notait pas dans un petit carnet les résultats de chaque tour. Aucun système ne semblait guider son jeu. Il jouait tout simplement et, extraordinairement, gagnait à chaque coup. On eut dit qu'il était capable de prévoir les suites de rouge, les suites de noir et le moment où elles s'arrêteraient. Les autres joueurs s'étaient amassés autour de lui. Ils griffonnaient furieusement dans leur carnet. Ils essayaient d'imaginer quelle était sa martingale secrète. Mais on n'a jamais réussi à le savoir, pas plus que nul n'a pu gagner quoi que ce soit en misant dans l'ordre qu'avait employé Wells ce soir-là.

Le casino de Monte Carlo, comme tous les casinos du monde, impose certains plafonds pour le montant des mises. Wells doublait son avoir à chaque gain. Il le remettait en jeu. Il atteignit donc très vite les limites permises. Cela le ralentissait un peu mais guère plus. Avant la fin de la nuit, il avait fait sauter la banque.

Le surlendemain soir, il revint s'asseoir à la même table. Il ne joua plus le rouge ou le noir mais des séries de nombres. Les chances du joueur, à chaque coup, sont évidemment moins grandes que dans le cas des paris sur le rouge-noir, pair-impair ou manque-passe. Mais s'il gagne, la somme qu'il retire est évidemment plus élevée. Sous le regard d'une foule de badauds silencieux et attentifs, il fit sauter la banque une seconde fois.

Quelques mois plus tard, le mystérieux Wells refit son apparition. Il joua cette fois le jeu le plus risqué de tous: il misa chaque fois sur un seul chiffre. La roulette de Monte-Carlo porte des numéros de un à trente-six avec, en plus, le zéro qui est le chiffre du casino (la roulette des casinos américains porte aujourd'hui deux numéros réservés au casino: le zéro et le double zéro). A Monte-Carlo donc, quand on mise sur un seul numéro, on a une chance sur trente-sept, à chaque coup, de gagner. Si l'on gagne, la banque vous rend votre mise et, comme gain, vous recevez trente-cinq fois la somme que vous avez misée. Le jeu est très risqué, très payant. Il semble réservé à ceux qui ont des nerfs d'acier, qui ont beaucoup d'argent à perdre, ou encore qui sont ivres morts.

Wells misa sur le cinq et, chaque fois, il rejoua ses gains. Le numéro cinq sortit cinq fois de suite.

La banque sauta de nouveau. Le mystérieux Wells empocha un bénéfice d'environ quatre-vingt-dix-huit mille francs et disparut. On ne l'a plus jamais revu à Monte-Carlo. La fin de l'histoire est un peu plus triste et nuit sans doute à l'allure du récit, mais enfin! Il finit par dépenser tout cet argent inconsidérément en le lançant dans de douteuses spéculations et mourut en prison. Mais, au moins, en pleine misère et au milieu de ses ennuis, il pouvait toujours se consoler en se disant qu'il avait eu bien de la chance!

Il y a plusieurs façons d'expliquer mes deux histoires — ou, pour être moins généreux mais peut-être plus exact, de tenter de les expliquer. La théorie de la probabilité se bornerait à constater que c'est arrivé, que, de toute façon, cela devait finir par arriver à quelqu'un tôt ou tard et, donc, que ces histoires sont moins intéressantes qu'il n'y paraît. Les théories occultes parleraient de bonne étoile, de chiffre porte-bonheur. Les théories psychiques n'auraient pas de commentaires sur l'aventure de Will West mais expliqueraient l'histoire de Monte-Carlo en termes soit de prémonition soit de psychokinésie.

Le docteur Brier est de cet avis même si parfois le doute l'effleure. Il souligne qu'il est extrêmement rare que le même chiffre sorte à la roulette cinq fois de suite. Cela peut évidemment se produire, simplement par hasard. Brier cependant trouve plus plausible de croire que c'est Charles Wells qui s'est arrangé pour que cela arrive. Selon Brier, la veine qu'a eue Wells lors de ses trois raids qui, chaque fois, firent sauter la banque était en réalité un état anormalement intense, mais temporaire, de puissance psychique.

La théorie du synchronisme propose une tout autre explication. Pour elle, ce sont certaines propriétés de l'univers physique, mystérieuses, peu comprises mais parfaitement naturelles, qui sont la cause d'aventures du genre de celles de Will West et de Charles Wells. Ces propriétés sont des forces qui font que les choses se produisent de la façon dont elles se produisent. Elles font que certaines choses identiques convergent dans l'espace, dans le temps, ou dans les deux à la fois. Elles "synchronisent" les événements. Elles créent des schémas ordonnés. Elles sont *la cause* des coïncidences.

En d'autres mots, prétend la théorie, il y a une faille dans les lois de la probabilité, telles qu'on les comprend actuellement. Si deux personnes se ressemblent et ont le même nom, comme Will et William West, ils ont sans doute plus de chances de se retrouver un jour ensemble que ne l'estime Martin Gardner et son type d'analyse de la probabilité. Dans le cas des coups de chance en série, comme ceux de Charles Wells, la théorie du synchronisme prétend qu'elles sont plus dignes de foi et, d'une certaine façon, plus prévisibles que ne le laissent supposer les avocats de la probabilité.

Selon la théorie de la probabilité, les coups de chance passés n'ont, bien sûr aucun effet sur les coups de chance futurs. Sur ce point, la théorie est en désaccord avec le Major Riddle. Ce dernier estime, en effet, que lorsqu'une suite de coups de chance s'amorce, il vaut mieux jouer plus fort parce que la chance va sans doute se poursuivre. Au contraire, la théorie prétend qu'il n'existe aucune raison logique pour qu'il en soit ainsi. La théorie du synchronisme serait plutôt de l'avis du Major Riddle. Quand plusieurs coups de chance arrivent en série, disent les partisans du synchronisme, ce peut être parce que certains événements indéterminés sont en train de converger. Il y a comme une *poussée* cosmique qui veut que se créent des schémas ordonnés. Il faut peut-être rendre cette "poussée" partiellement responsable de l'aventure de Wells qui fit sauter la banque de façon répétée, de même que de sa suite de cinq 5 consécutifs.

De toutes les théories sur la chance, la théorie synchroniste est la plus frustrante. Il est vraiment très difficile d'imaginer comment et par quel moyen ces forces convergent. Comment fonctionnent-elles? Ses partisans se contentent d'affirmer: "Ces choses sont observables: elles arrivent. La nature de la force qui les engendre dépasse la compréhension humaine, tout au moins à ce stade du développement scientifique." Il y a beaucoup de choses dans l'univers qui ne se comprennent pas, font-ils remarquer. Il existe des sortes de trous dans lesquels l'espace ne répond plus aux lois normales. Il existe des particules subatomiques qui semblent pouvoir remonter le temps. Il existe d'innombrables autres phénomènes qui restent scandaleusement en dehors de notre champ d'expérimentation quotidienne. La force de convergence, ou synchronisme, est un autre de ces phénomènes. Un jour, on l'élucidera. En attendant, elle restera mystérieuse et inexpliquée — à peine pourra-t-on déceler sa présence et, à travers ses manifestations, parfois la remarquer.

Pierre-Rémond de Monmort, mathématicien français de la fin du XVIIe et du début du XVIIIe siècle, fut un des premiers à faire allusion à cette hypothèse et à tenter de l'expliquer. Monmort est, à l'heure actuelle, moins connu que certains de ses compatriotes mathématiciens comme Pierre de Fermat ou Blaise Pascal. Il est resté beaucoup plus obscur que son contemporain et ami, Isaac Newton. Monmort a repris les calculs de probabilité là où Fermat et Pascal les avaient laissés. Il fit faire à cette science un grand pas. Malheureusement, il mourut à quarante et un ans et tout aussi malheureusement, la plupart de ses notes et de ses papiers furent perdus dans le tumulte et la poussière de la Révolution française.

Une mathématicienne contemporaine, le docteur Florence David, professeur à l'Université de Londres, a tenté de redorer le blason un peu terni de Monmort et de le sortir de l'ombre. Dans un très intéressant survol de l'histoire des théories de la probabilité, *Games, Gods and Gamblergs,* elle fait une large place à Monmort, à ses idées et à son étrange et bref destin. Curieusement, elle n'insiste pas sur ce qui pourrait avoir été un élément déterminant de l'origine des idées de Monmort: le conflit et les relations entre les mathématiques pratiques et son mysticisme religieux. Monmort était très pieux. Il fut un temps chanoine à Notre-Dame. Il dut bien finir par se rendre compte que ses croyances avaient quelque influence sur ses chères mathématiques. Il était spécialement intéressé et embarrassé par les coïncidences et les suites anormalement longues de coups de chance — ces enchaînements d'événements peut-être moins dûs au hasard que l'on ne pourrait le croire et, donc, peut-être difficilement explicables par l'habituel calcul des probabilités. Il renonça finalement et écrivit:

"Pour parler clair, rien ne dépend du hasard. Quand on étudie la nature, on se convainc vite que son Créateur se meut doucement dans une direction, toujours la même, et qui porte l'empreinte de la sagesse infinie, comme aussi de la prescience. Pour attacher au mot " hasard" la signification conforme à la vraie philosophie, il faut se dire que tout est ordonné selon certaines lois. Les lois que nous attribuons au hasard sont celles dont la nature réelle *nous est inconnue.* Ce n'est qu'en définissant ainsi le hasard que l'on peut dire de la vie de l'homme qu'elle est un jeu où le hasard règne en maître et roi."

C'est au moment de sa mort, survenue trop précocement, que Monmort commençait à envisager la possibilité d'une faille subtile dans le calcul des probabilités, tel que les mathématiciens d'alors l'avaient mis au point. Sur papier, les lois étaient infaillibles. Appliquées à la vie quotidienne des êtres humains, elles ne marchaient plus. Les lois semblent logiques. Elles peuvent, en fait, porter la plus profonde des erreurs. Notre concept même de "logique" peut porter en son sein quelques défauts majeurs. La "logique" est une construction humaine, après tout — une série de lois qui semblent s'appliquer assez bien à nos phénomènes terrestres, mais peuvent, en fait, n'avoir que très peu de pertinence quand il s'agit d'analyser la façon dont fonctionne le reste de l'univers. Kurt Goedel qui est mathématicien a fait remarquer qu'il est possible que nous ne découvrions jamais les défauts de notre logique. Si notre système logique de base est erroné, il est peu probable que nous parvenions à identifier cette erreur en y appliquant cette même fausse pensée logique qui est la nôtre. Il est donc possible que l'humanité, pendant toute l'éternité, soit condamnée à mal voir et à mal penser les choses, y compris les fondements du hasard.

Le premier qui ait donné un nom spécial à cette sorte différente de probabilités est peut-être le biologiste autrichien Paul Kammerer. Il l'a appelée la "sérialité". Kammerer a publié la plupart de ses réflexions sur le sujet entre 1900 et 1925. Les coïncidences ne faisaient pas que l'intéresser, elles l'obsédaient. Il a longtemps tenu un journal intime et y a noté les cas de sérialité qui lui sont arrivés entre vingt et quarante ans. En voici un: un beau matin, comme il s'intéressait à une espèce de papillons assez rare, il lut dans un ouvrage un article sur le sujet. Toujours dans la matinée, il aperçut un livre sur le même thème, bien en évidence dans la vitrine d'une librairie. Le livre portait en jaquette le dessin du papillon. Le même soir, Kammerer aperçut réellement l'insecte dans un champ.

Pour Kammerer, de telles coïncidences ont une signification. Elles proviennent d'une force inconnue, selon lui, qui fait converger les choses semblables, qui fait que les choses arrivent en série plutôt qu'isolément, au hasard. Peu de scientifiques accordèrent à Kammerer l'attention qu'il pensait pouvoir mériter. La plupart le rejetaient en le considérant comme un excentrique. Certains ont même suspecté l'authenticité de ses histoires de coïncidence sérielle. On n'en possède pas de preuves. Le fait pourtant qu'il se soit suicidé en 1926 n'est guère rassurant. Apparemment, ce fut à cause d'un scandale dans lequel il fut impliqué à propos de preuves scientifiques fabriquées de toutes pièces.

Le Suisse Carl Jung, psychologue-philosophe-mystique, à inventé le terme "synchronisme". Ses idées sur le sujet ressemblent à celles de Kammerer. C'est essentiellement sa contribution à la psychothérapie qui l'a rendu célèbre, mais lui-même considérait sa théorie du synchronisme comme une part importante de son travail. Il collectionnait également les coïncidences. Une de ses coïncidences favorites — et l'on sait qu'il mettait ses amis mal à l'aise parce qu'il arrêtait les gens dans la rue pour la leur raconter — était une histoire de scarabée. Une de ses patientes lui raconta, un jour dans son bureau, un rêve qui la troublait émotivement. Elle avait vu une sorte de scarabée, un bijou fabriqué d'après les coléoptères africains multicolores. Les anciens Egyptiens le tenaient pour sacré. Jung, au même moment, entendit un petit bruit à la fenêtre. Il regarda: c'était un grand scarabée, l'homologue européen le plus proche de l'insecte africain.

Ah! Ah! s'exclame Jung. Voilà du "synchronisme"! Il existe un principe inconnu qui ordonne les affaires humaines. Ce principe est acausal — c'est-à-dire qu'il n'a rien à voir avec les mécanismes de causes à effet que nous connaissons. Le récit qu'a fait la patiente de son rêve n'a pas déterminé le fait que le scarabée vienne à la fenêtre de Jung. Pas plus que le scarabée n'a été la cause du récit de ce rêve (ou la cause du rêve lui-même). Une force qui transcende la causalité a fait converger tous ces éléments.

Jung a beaucoup réfléchi à ces phénomènes et a fini par conclure à l'existence d'un "principe acausal". Il est parvenu à convaincre le physicien Wolfgang Pauli de l'existence de ce principe et l'a aidé à écrire un livre sur le sujet. Pauli était tout à fait prêt à admettre le fait que certains principes extérieurs à nos sens ordonnent l'univers. Comme tous les physiciens, il s'est vite rendu compte que, analysés en terme de logique "humaine", quelques-uns de ces principes semblent outrageusement invraisemblables. Il ne semble cependant pas partager les idées de Jung sur l'essence du synchronisme ou de la force qui provoque les coïncidences. Les idées de Jung sont un étrange mélange de psychologie, de physique, de science-fiction et de mysticisme. Beaucoup de ceux qui ont essayé de comprendre à quoi il voulait en arriver, y compris moi-même, n'y sont pas parvenus. Arthur Koestler est sans doute celui qui a essayé le plus.

Koestler est un type intéressant. Il naquit à Budapest en 1905. Dans le premier tiers de sa vie, il eut beaucoup de chance. Il travailla comme journaliste spécialisé en politique internationale et voyagea à travers toute l'Europe. Il fut membre du Parti communiste qu'il quitta par la suite. Il finit par aboutir dans une prison française pendant la deuxième guerre mondiale. Il fut relâché et combattit avec l'armée britannique. Ensuite, il devint romancier. Il écrivit en anglais, devenu sa langue d'adoption, *Darkness at Noon* et d'autres livres qui furent bien accueillis. Depuis 1910 environ, il met sa brillante imagination au service de la recherche psychique et de la théorie du synchronisme, et a cessé d'écrire des romans.

Koestler est sans aucun doute le plus important disciple contemporain de la théorie du synchronisme — et, sans aucun doute, il est aussi son principal agent publicitaire. Dans *Les Racines de la coïncidence* et *Le Défi du hasard* (écrits en collaboration avec deux scientifiques britanniques, Sir Alister Hardy et Robert Harvie), il essaie d'expliquer pourquoi le synchronisme lui paraît une idée évidente, à lui comme à beaucoup d'autres, y compris Jung. A mon sens, il y réussit remarquablement. Il rend l'idée extrêmement séduisante à quiconque essaie d'expliquer les suites de coups de chance et d'autres phénomènes étranges à propos du hasard. Mais là où ses efforts aboutissent moins bien, c'est lorsqu'il tente de prouver que le synchronisme appartient effectivement à la catégorie "scientifique". Bien sûr, il évoque constamment la théorie quantique et la physique atomique. Sous sa plume, pour ne pas dire sous sa machine à écrire, tout cela paraît bien beau, mais le rapport de ces théories scientifiques avec le synchronisme reste, au mieux, extrêmement vague. Koestler semble espérer que la respectabilité de la physique quantique débordera sur la théorie du synchronisme s'il parle des deux simultanément.

Je n'essaie pas du tout de dire que ce qu'a écrit Koestler n'a aucun sens. Au contraire. Il pose la question suivante: si la chance est due au hasard, pourquoi "l'ordre semble-t-il toujours sortir spontanément du désordre"? Il parle souvent d'une sorte "d'ange de la bibliothèque" qui semble le guider dans ses travaux. Souvent, dit-il, il lui arrive d'aller dans une bibliothèque chercher quelque obscure référence, tout en s'attendant à devoir passer des heures ou des jours avant de la trouver. Il se promène sans idée préconçue au milieu des rayons, attrape un livre au hasard et, souvent, celui-ci contient exactement la référence qu'il cherchait. Comment cela est-il possible? Il existe une force qui synchronise les événements de sa vie. Le besoin de cette référence et le fait qu'il attrape ce livre au hasard sur un rayon semblent converger. La cause en est une puissance qui "transcende la simple causalité mécanique".

Koestler pose la question suivante: qu'est-ce, exactement, que le hasard, de toute façon? Certains événements semblent être, davantage que d'autres, le fait du hasard. Il illustre son propos par une histoire à la fois étrange et charmante, où on retrouve des poussins et la "chance". Des savants britanniques avaient mis au point une lampe thermogène qui devait s'allumer et s'éteindre toute seule sans le moindre contrôle, au hasard tout simplement. Selon la loi de la probabilité, elle resterait allumée autant de temps qu'elle serait éteinte, selon le même principe que lorsqu'on joue à pile ou face avec une pièce de monnaie. Il pourrait arriver qu'elle restât allumée pendant de longs moments, mais, à la longue, ce temps serait, dans l'ensemble, de même durée que quand elle était éteinte. Et c'est effectivement ainsi que la lampe fonctionna tant qu'on la laissa sur une table. Mais il en alla tout autrement dès que les scientifiques l'installèrent au-dessus d'une boîte contenant des poussins.

Quand la lampe était éteinte, les poussins pépiaient misérablement. Ils avaient trop froid et voulaient avoir chaud. La seule chose sur laquelle ils pouvaient compter pour se réchauffer, c'était la chance, et la chance vint à leur secours. Chaque fois qu'ils étaient près de la lampe, celle-ci restait allumée pendant de très longues périodes. Beaucoup plus souvent, en tout cas, que quand ils s'en éloignaient.

En d'autres termes, les poussins bénéficiaient sans doute d'une sorte de série de coups de chance. Les hommes de science en conclurent que quelque chose était en train de se passer qui dépassait le simple hasard. Qu'était-ce donc? Les adeptes des théories psychiques répondront évidemment qu'il s'agissait de télékinésie: les hommes de science avaient tout intérêt à ce que la lampe restât allumée, d'abord parce qu'ils étaient de braves types et ensuite parce qu'ils voulaient que leurs expérimentations produisissent des résultats intéressants. Koestler et ses collègues préfèrent, quant à eux, penser qu'une puissance indéterminée synchronisa les événements en faveur des poussins. Les synchronistes insistent sur le fait que les choses ne se passent pas au hasard comme cela semble être le cas. Il existe certains schémas sous-jacents, certaines forces extrêmement puissantes, qui tendent à provoquer l'ordre et à chasser le chaos. Si l'on veut comprendre la chance, il s'agit simplement de comprendre le fonctionnement de ces schémas...

Linda W. est serveuse. Elle a quarante-six ans. Elle est maigre. Son visage est joli mais empreint d'une grande lassitude. Cette lassitude transparaît quand elle marche et même quand elle est assise. Je l'ai interviewée dans une grande pièce ensoleillée que nous avait prêté l'Asscíation des Alcooliques Anonymes, à New York. Nous avons bu du café dans des tasses en plastique.

— Comme cela, vous voulez vous renseigner sur ces schémas? dit-elle. Eh bien, mon vieux! vous êtes tombé sur la bonne personne. Tout au long de ma vie, de façon périodique, j'ai eu à les subir. Ils me traquent depuis que je suis jeune et j'imagine que cela va continuer jusqu'à ma mort. Et ce dont je parle, c'est l'alcool. L'alcool est mon enfer personnel. Chaque fois que je pensais que la vie allait me donner une chance, chaque fois que je pensais que quelque chose de bon allait se passer, il intervenait toujours quelque catastrophe qui ramenait l'alcool au premier plan. D'une façon ou d'une autre, l'alcool fait partie de toutes mes catastrophes personnelles. Je ne puis m'en défaire.

Linda est née à Cleveland. Son père, cadre dans une entreprise, était alcoolique. Jusqu'à l'âge mûr, tout marcha très bien sur le plan professionnel. Linda avait l'intention d'aller à l'université pour étudier l'administration. "Cependant, durant mes premières années à l'école secondaire, mon père se mit à aller de plus en plus mal. Il se présentait aux réunions complètement soûl. Finalement, la compagnie perdit patience et le mit dehors. Pour autant que je sache, il ne trouva plus jamais un autre travail intéressant. J'ai quitté ma famille peu après. Je n'eus plus jamais de ses nouvelles jusqu'au jour où on m'annonça qu'on l'avait trouvé mort dans un motel un peu louche de Californie."

Bien sûr, Linda ne pouvait plus se payer des études universitaires: aussi, pendant sa dernière année à l'école secondaire, elle apprit la dactylographie et la sténo. Elle obtint son diplôme et travailla comme secrétaire à plusieurs endroits.

— Je n'aimais pas ce travail. C'était très ennuyeux et cela ne payait pas beaucoup. Finalement, j'ai décroché un excellent travail comme secrétaire du directeur d'une petite agence de Chicago. Le salaire était assez élevé mais ce qui me plaisait le plus c'est qu'il y avait d'excellentes chances de promotion. Ils m'avaient affirmé que lorsque je connaîtrais bien mon travail, ils me feraient faire des choses plus intéressantes.

Un soir, alors qu'elle travaillait plus tard que d'habitude, son patron revint au bureau. Il sortait d'un cocktail et il était ivre. Il lui fit des propositions et elle le gifla. "Le lendemain matin quand j'arrivai au travail, je me rendis vite compte que tout était fini. Il était comme fou, extrêmement gêné, il avait peur sans doute que j'en parle à sa femme — vous savez, c'était exactement le genre de situation dont il est impossible de sortir. Je lui dis donc: "Qu'est-ce qui va se passer?" Il me répondit qu'il ne pensait pas que nous pourrions continuer à travailler ensemble plus longtemps et que je ferais mieux de m'en aller. Que pouvais-je faire d'autre? Je suis partie."

Elle dénicha un autre travail de secrétaire. Elle y rencontra un vendeur de commerce nommé Ralph. Elle en tomba amoureuse et l'épousa. "Je buvais un peu à l'époque — pas énormément, mais de temps en temps, il m'arrivait de m'enivrer, surtout pendant les petites fêtes au cours des week-ends. Je ne le savais pas à l'époque, mais c'est le début de l'alcoolisme. J'aimais me sentir ivre, j'aimais beaucoup trop ça. Certaines personnes parviennent à ne pas dépasser ce stade de l'ivresse du week-end, surtout si elles vivent dans un environnement intéressant et si elles sont entourées de bonnes personnes. Quand Ralph est entré dans ma vie, j'ai cessé de boire. Notre mariage a été extraordinaire. Peu de temps après nos fiançailles, il trouva un meilleur travail dans une plus grosse compagnie. Il obtint très vite des promotions et ne cessait de grimper dans l'échelle sociale. Nous avons déménagé à New York. Nous avons acheté une maison le mois où je suis tombée enceinte. C'était une fille. Nous l'avons appelée Elisabeth. Nous la surnommions Beth. Cette période a été la plus heureuse de ma vie.''

Ralp mourut dans un accident d'automobile au cours d'un voyage d'affaires. Une voiture arrivée en sens inverse le frappa de plein fouet. L'autre conducteur était soûl.

Linda déménagea dans un petit appartement. Elle trouva du travail comme serveuse pour les cocktails. "J'avais à prendre soin de Beth. C'était exactement le genre de travail que je pouvais faire parce que je n'avais pas les moyens de me payer comme gardienne autre chose qu'une élève du secondaire. D'ailleurs, les pourboires étaient bons. Je gagnais à peu près suffisamment pour subvenir à nos besoins. Cependant, à l'époque, je me remis à boire sérieusement. La plupart du temps, cela me rendait malade. Il est arrivé bien des soirs où je n'ai pas été capable de me présenter à mon travail. Finalement, ils m'ont mise dehors. J'ai trouvé autre chose, ils m'ont renvoyée eux aussi. En fin de compte, j'ai fini par me joindre aux Alcooliques Anonymes. Puis, j'ai quitté et j'ai recommencé à boire. Ensuite, j'y suis rentrée de nouveau — vous savez, l'histoire habituelle de l'alcoolique. Finalement, j'ai atteint le fond du fond. Un jour, j'ai passé toute ma journée et aussi toute ma nuit à boire. Le lendemain, je me suis retrouvée dans un drôle d'hôtel avec un homme que je n'avais jamais vu auparavant. J'ai eu très peur, je suis retournée aux A.A. et c'est comme cela que j'ai cessé pour toujours.''

Par la suite, elle travailla pendant quelques années comme serveuse dans un café. Plus tard, elle trouva du travail dans le restaurant d'un hôtel. Les pourboires y étaient meilleurs. Le roulement des employés était extrêmement élevé. En deux ans, elle y devint la plus ancienne. Le gérant de l'hôtel avait beaucoup de respect pour elle. Il pensait la faire nommer assistante au service des achats. Mais de nouveau, l'alcool fit irruption dans sa vie.

L'une des sorties du restaurant donnait sur un petit escalier, très étroit qui menait à une boutique de cigarette, au sous-sol. Un soir, elle descendait quand un homme ivre dévala derrière elle. "Il était vraiment très soûl. Il marmonnait tout seul. Il arriva si près de moi que je pouvais sentir son haleine. Il se rapprochait de plus en plus. Tout à coup: Mon Dieu! Il va trop vite pour pouvoir s'arrêter.''

En fait, il était en train de tomber et il dégringola sur elle. C'était un homme assez gros, sans doute pesait-il le double de son poids. Elle perdit son équilibre. Ils dévalèrent les marches, lui par-dessus.

"Je pense que je me suis évanouie quelques secondes. Je ne me rappelle pas du tout le moment où je suis tombée par terre. Quand je suis revenue à moi, il n'était plus là. Il y avait une femme à mes côtés. Elle essayait de m'aider à me lever, mais je me rendis compte qu'il y avait un problème. Une de mes jambes ne voulait plus bouger du tout."

La jambe était brisée en deux endroits. Une des fracture se pré-sentait extrêmement mal. Il fallut insérer une barre de fer dans l'os pour la réduire. "Cela m'a prit six mois avant de pouvoir me traîner un petit peu avec des béquilles. J'ai touché l'assurance-chômage pen-dant un bout de temps. Je finis par trouver un autre travail dans un service de comptabilité, ce qui me permettait de rester assise. Cela s'est passé voici quelques années. Aujourd'hui, je suis de nouveau serveuse dans un restaurant."

Linda sirote son café pensivement et sourit. "Vous savez, dit-elle, je ne suis pas le genre de personne qui s'apitoie sur son sort. La vie est dure pour tout le monde. Je le sais. Mais ce maudit alcool... quand va-t-il donc finir par me laisser tranquille?"

— J'aimerais vous dire quelque chose d'utile, ai-je répondu.

Je lui ai parlé, un peu de quelques-unes des théories sur la chan-ce. Je lui ai parlé aussi de la théorie du synchronisme qui a paru l'in-triguer. Je lui dis que toute série de coups de chance ou de malchance peut s'arrêter n'importe quand, et peut-être que sa série de malchan-ces a déjà cessé. Cela semble la réconforter.

En la quittant, je lui dis la seule chose qui me vient à l'esprit. Je lui souhaite bonne chance.

Troisième partie:
Spéculation sur
la nature de la chance:
quelques théories
occultes et mystiques

1. LES NOMBRES

William Barber habite en Pennsylvanie. Il est né le 7 avril 1911. Tout le monde s'en moque, bien sûr. Sauf, évidemment, William Barber lui-même, et sans doute ses parents. Le fait qu'il soit né à une date précise n'a rien en soi d'extraordinaire et ne confère à Will Barber aucun caractère particulier. Chacun est né à une date précise. Cependant, sur les quelque cinquante millions de bébés qui sont venus au monde en 1911, seulement un trois cent soixante-cinquième — c'est-à-dire environ cent trente-sept mille — sont nés le même jour que Will Barber: le 7-4-11. Il existe un autre groupe de bébés nés le 7-4-11. Ce sont ceux qui sont venus au monde en 1811 et en 1711. Et ainsi, à travers les âges, pour tous les bébés nés la onzième année de chaque siècle. Donc, ce Barber, de Pennsylvanie, n'est pas unique en son genre. Ce qui rend sa date de naissance intéressante, c'est qu'il est un fervent d'un système très particulier de contrôle de la chance, que l'on appelle la numérologie. Il étudie également le baseball, le football, et le marché des changes. Il a combiné tous ces éléments disparates et a fini par mettre au point un système qui lui permet de prévoir les fluctuations de la Bourse. Selon lui, son système n'a jamais fait défaut depuis 1960 et l'a aidé à devenir riche.

Comme cela s'est déjà passé précédemment dans ce livre et comme cela ne manquera assurément pas de se reproduire, je me retrouve, cette fois encore, dans une position très embarrassante. Il me faut rendre compte d'événements qui, selon mon esprit pragmatique et peut-être trop occidental, me semblent faux, de toute évidence. Comment la numérologie pourrait-elle en effet prédire les fluctuations de la Bourse, alos que même les plus brillants analystes de Wall Street n'y parviennent pas? Quelle absurdité! Pourtant le système de prédictions de Will Barber, tout aussi irrationnel qu'il soit, a fonctionné sans problème depuis le début des années 60 et tout au long des années 70. Pourquoi? Que se passe-t-il donc? Après tout, les chiffres porte-bonheur ne sont peut-être pas si dénués de fondement que cela?

Qui sait? La numérologie, qui se classe elle-même parmi les sciences, se fonde sur une prémisse très simple: il existe un certain lien entre les nombres et les événements de l'existence humaine. Si les nombres sont des nombres porte-bonheur, alors les événements seront sans doute heureux. S'ils sont porteurs de malchance, la vie sera malheureuse. Est-ce raisonnable? Eh bien! non, en tout cas pas pour tout le monde. Mais il est facile néanmoins de comprendre pourquoi les nombres obsèdent certaines personnes, et pourquoi elles leur attribuent certaines vertus magiques ou prémonitoires.

Nous autres, malheureux êtres humains, en cette dernière moitié du XXe siècle, croulons sous les chiffres: nos numéros de téléphone, nos numéros de sécurité sociale, le montant de la dette nationale, de nos dettes individuelles, et un tas d'autres choses — dont nous nous passerions bien, si cela nous était permis. De plus, ce sont encore les nombres qui déterminent nos coups de chance et nos coups de malchance. Ils sont présents, bien sûr, dans tous les jeux de hasard. Loteries, roulette, courses de chevaux, jeux de cartes: les nombres ne servent pas seulement à exprimer nos risques de gagner ou de perdre, mais ils font souvent partie de l'essence même du jeu. Il n'est donc pas surprenant que certaines personnes, noyées dans cet univers de nombres dont elles ne peuvent sortir, se mettent à établir certains rapports entre ceux-ci et les aléas du destin. Il n'est pas surprenant non plus qu'elles finissent par croire en une sorte de synchronisme. Will Barber est de ceux-là. De forte carrure, il a les cheveux blancs et est âgé de près de soixante-cinq ans. Dans son genre, c'est un homme génial. En passant, je signale qu'il est comptable de profession: pour gagner son pain quotidien, il a donc également affaire aux nombres, et ce, d'une manière qui n'a rien d'occulte. Ce fait-là non plus, finalement, n'est peut-être pas dû au hasard. Il est à la fois comptable et numérologue parce que l'influence des nombres le fascine. Il ne pourra jamais s'en occuper assez. "A l'école, j'avais la bosse des mathématiques, me dit-il, non pas parce que j'étais plus intelligent que les autres enfants mais parce que je me donnais la peine d'apprendre les trucs, vous savez, les raccourcis. Les nombres sont mon passe-temps. Depuis l'âge de quinze ans, j'ai remarqué que certaines séries de nombres se répétaient tou au cours de ma vie. Chaque fois que j'ai connu des coups de chance inattendus — des séries de coups de chance, vous savez —, eh bien, ces nombres n'étaient jamais loin. Mes chiffres porte-bonheur, ce sont ceux de ma date de naissance: le quatre, le sept et le onze. Vraiment ces chiffres-là, pour moi, sont *extraordinaires!"*

Il me racontait tout cela, un jour qu'il était de passage à New York. Notre conversation eut lieu dans un café. Il buvait du thé et fumait un cigare. Il avait un grand sourire et ses yeux bleus riaient. Il tirait vraiment plaisir de ce qu'il me racontait. Il m'énuméra toutes les propriétés intéressantes de ces trois chiffres. Il me fit remarquer d'abord que les deux premiers, 4 et 7, additionnés, donnaient 11. Il ne comprenait pas bien quelle en était la portée, mais manifestement ce fait lui plaisait. Il lui indiquait l'existence d'une autre sorte d'ordonnance que notre ordonnance logique, une sorte de convergence mystérieuse. Il me fit remarquer ensuite qu'en additionnant ces trois nombres on obtenait 22 et que la somme des deux chiffres qui composent 22 donne l'un de ses nombres porte-bonheur: 4. Et si l'on multiplie 4 X 7 X 11, le produit en est 308; en outre, en additionnant les trois chiffres qui composent 308, on arrive encore à 11. Si l'on multiplie leurs carrés, on obtient: 94 864. La somme des chiffres qui composent 94 864 est 31, et celle de ceux qui composent 31 est de nouveau 4. Il me fit remarquer en outre que...

Vous l'avez sans doute compris: pour Will Barber, ces trois chiffres étaient tout simplement fantastiques. Ils avaient toute une série de propriétés qui, à première vue, ne paraissaient pas particulièrement utiles mais qui, pour un numérologue, sont significatifs, même s'il ne peut pas toujours en préciser l'exacte portée.

Je lui posai quelques questions sur le système qu'il avait mis au point pour prédire les fluctuations de la Bourse.

— Ah! s'exclama-t-il, c'est très intéressant. Je l'ai découvert en 1964. Je l'ai vérifié sur ce qui s'était passé depuis 1960. Depuis lors, il marche toujours chaque année, sans faille, jusqu'en ce moment où je vous parle. Mon système m'indique si la Bourse va monter ou descendre l'année prochaine. Il est infaillible!

Première phase: Il faut prendre le dernier chiffre de l'année en cours. Si c'est 1974, on prend donc le 4.

Deuxième phase: Il faut se rappeler le score final de la première partie de football du Rose Bowl qui se joue cette année-là. Elle a toujours lieu le Jour de l'An. Il se trouvera bien, parmi vos voisins ou collègues de bureau, quelqu'un pour s'en souvenir. Si l'équipe gagnante a obtenu 30 points ou plus, il faut ajouter 1 au dernier chiffre de l'année. Donc, si l'on reprend l'exemple de 1974, cette année-là, l'équipe de l'Ohio a battu celle de la Californie du Sud par un score de 42 à 21. Par conséquent, selon la formule, il faut ajouter 1 au 4 de 1974, ce qui donne 5.

Troisième phase: Il faut trouver combien il y a en de parties de baseball, dans la Ligue majeure pendant la saison régulière, au cours desquelles aucun point n'a été marqué. Le même statisticien sportif qui se souvient des résultats de la première partie de football du Rose Bowl se souviendra sans doute aussi de ce genre de statistiques (seules les parties complètes entrent en ligne de compte). Il faut ajouter ce nombre à celui que l'on a obtenu à la seconde étape. En 1974, il y en a eu deux. On additionne donc ce chiffre au 5 déjà trouvé et, finalement, cela donne 7.

Prédiction: Si le chiffre que l'on obtient après tous ces calculs est 4, 7 ou 11, la Bourse va grimper l'année suivante. Si l'on obtient tout autre chiffre, au contraire elle va dégringoler.

Comme je l'ai dit, j'ai vérifié. En ce qui concerne les fluctuations de la Bourse, je me suis servi du *Standard and Poor's Composite Index.* J'ai retrouvé les statistiques sportives dont j'avais besoin dans l'*Almanach Mondial* et dans l'*Almanach du Reader's Digest.* Et bien sûr...

C'est complètement fou, me direz-vous. Peut-être. Mais il se pourrait tout aussi bien que ce ne soit pas plus fou que les analyses des courtiers, des analystes financiers et autres oracles traditionnels de Wall Street. Ils sont en effet extrêmement optimistes quand ils pensent que les fluctuations de la Bourse, même si, par essence, elles répondent à certains mouvements irrationnels, peuvent être prédites par la simple raison. Si Will Barber a tort, il n'est cependant pas beaucoup plus dans l'erreur qu'eux-mêmes. Il n'existe aucun moyen rationnel de prédire l'évolution du marché. C'est l'émotion qui la commande et non la raison. Le seul moyen infaillible de gagner en Bourse est d'avoir de la chance.

On commet toujours une erreur lorsqu'on ignore ou lorsqu'on refuse d'accorder quelque crédit à l'élément chance qui intervient dans tout jeu, et surtout quand cet élément occupe une place importante. Les professionnels de Wall Street pensent ainsi la plupart du temps. Au fond, cela les arrange bien de croire que la raison humaine peut deviner l'évolution de la Bourse à long terme. Cela leur donne l'illusion qu'ils peuvent s'y préparer. Ils se sentent plus à l'aise. Malheureusement, les prédictions auxquelles ils aboutissent, semblent plus solides et plus fiables qu'elles ne le sont en réalité. Leurs prédictions sont, en fait, de simples supputations, à peine plus valables que celles que l'on pourrait faire sur le futur numéro gagnant à la roulette.

Les spéculateurs qui réussissent le mieux sont ceux qui admettent que le marché, au moins en partie, est un jeu de hasard et non un jeu qui obéit à la raison pure. La raison et l'intelligence contribuent certainement à bien réussir ses placements en Bourse, mais elles ne permettent pas d'en prédire l'évolution à long terme. Je doute qu'aucun professionnel de Wall Street en sache plus que Will Barber ou moi sur l'avenir de la Bourse à longue échéance. Le fait est que Barber ne s'est jamais trompé dans ses prédictions. A la fin de 1969, il vendit tout ce qu'il avait, parce que cette année-là, le chiffre auquel il aboutissait était le 13. Il en déduisit donc que 1969 serait une mauvaise année. Et, bon Dieu! c'en fut tout une! En 1969, il tomba sur le 15. Il en déduisit donc que 1970 serait également une année peu reluisante. Elle ne fut pas meilleure. En 1970, il aboutit au chiffre 4, présage de temps meilleurs en 1971. Will Barber acheta quelques actions au début de 1971 et termina l'année un peu plus riche qu'il ne l'avait commencée.

Avant d'aller trop loin dans l'éloge du système Barber, il est bon néanmoins de retrouver un peu de notre scepticisme. Selon Barber, son système fonctionne à cause de quelque correspondance occulte entre ses nombres porte-bonheur et les événements qu'il prédit. Il n'en veut d'autre preuve que le fait d'avoir eu raison quinze ans de suite. Il serait tout aussi simple de croire (et personnellement, je crois cela plus facilement) qu'il est l'heureux bénéficiaire d'une longue et inhabituelle suite de coups de chance, semblable, par exemple, à une suite de quinze gains consécutifs à la roulette. Il est tout à fait possible que le hasard soit favorable à quelqu'un quinze fois, sans aucune interruption, même si cela n'arrive pas souvent. Rien ne garantit qu'au seizième tour la roulette lui restera favorable. D'ici un an ou deux, il est possible que quelque système rationnel de prédiction sur l'évolution de la Bourse produise un résultat plus heureux que celui qu'aura prévu le système Barber.

Will Barber rétorque: "Bien sûr! Il est possible qu'une année mon système ne marche pas. Cela ne me surprendrait pas. Je n'en attends pas la perfection. Mon système me permet seulement d'augmenter mes chances — de trouver la bonne réponse plus souvent que je ne pourrais la trouver par hasard. Si jamais, je jouais à la roulette, je miserais sur le 4, le 7 et le 11. Je ne m'attendrais pas pour autant à ce que ces chiffres sortent gagnants à tout coup. Je prédis seulement qu'ils sortiront un peu plus souvent que ne le prétend le simple calcul des probabilités". A-t-il jamais joué à la roulette? "Non! C'est un jeu qui me semble trop ennuyeux."

Si l'on menait une enquête parmi des gens qui participent à un cocktail et si on leur demandait quel est leur nombre porte-bonheur, les trois quarts pourraient répondre immédiatement et le plus sérieusement du monde (on a déjà étudié le cas d'Eric Lee, par exemple, qui gagna à la loterie du New Jersey et dont le nombre favori était le 10). Chez les joueurs, le pourcentage serait plus élevé encore — à vue de nez, il ne se situerait certainement pas loin de 99%. De toute manière, joueur ou non, il est vraisemblable que tout être a un nombre préféré, et parfois même plus d'un — et qu'il le considère comme une sorte de fétiche. Vous vous considérez vous-même comme un être froidement rationnel que la superstition n'effleure même pas. Et pourtant... Même vous, devez avoir un numéro porte-bonheur qui se cache quelque part dans le fond de votre inconscient et que vous associez à certains événements heureux de votre existence.

Par ailleurs, les nombres porte-malheur existent aussi. La majorité des gens qui affichent leur mépris de la superstition se sentent très mal à l'aise en présence du nombre 13, par exemple. Le 13 est très mal vu dans presque tout l'Occident et même en Union Soviétique. (D'autres nations souffrent de phobie à propos d'autres nombres. Au Japon, par exemple, c'est le 4 qui est très mal considéré.) La peur du 13 est particulièrement répandue aux Etats-Unis, même si la nation américaine, au départ, se composait de treize colonies et même si le tout-puissant dollar est bourré de treize. Il suffit de regarder un billet. Il comporte une pyramide à treize marches, un bouclier à treize bandes, une constellation de treize étoiles, un aigle dont la queue compte treize plumes, et qui tient treize flèches dans une de ses serres et une branche d'olivier à treize feuilles dans l'autre. Le dollar porte-t-il malheur pour autant? Bien sûr, un billet de dix dollars serait préférable, mais quand même! Je connais peu d'Américains qui refuseraient un dollar — ou même treize dollars — si on le leur offrait.

On évite pourtant le 13 tant qu'on peut. On perd parfois un temps fou, lorsqu'on invite du monde, à éviter d'être treize à table. Dans beaucoup de gratte-ciel, il n'y a pas de treizième étage. Beaucoup d'hôtels n'ont pas de chambre 13 (les Japonais agissent de la sorte pour éviter le 4). La plupart des Américains se gardent soigneusement de prendre quelque décision ou quelque rendez-vous que ce soit un vendredi 13. Ce jour-là, la majorité essaie même, dans la mesure du possible, de ne rien faire du tout.

Certains êtres courageux, comme il en existe dans toutes les nations, ont essayé par le passé aux Etats-Unis de sortir de cette phobie du nombre 13. Ils ont tenté de prouver que le treize, au fond, était un nombre inoffensif et même qu'il pouvait porter bonheur. L'un d'eux fut Ralph Branca, lanceur pour l'équipe des Dodgers de Brooklyn, il y a vingt-cinq ans environ. Pour bien montrer que tout ce qu'on pensait du treize n'était que vague superstition, Branca demanda et obtient de porter le numéro 13. Il obtint de bons résultats tout au long de l'année 1951 et contribua même à amener son équipe à jouer en finale contre les Giants de New York. Jusqu'aux toutes dernières secondes de la toute dernière partie, les Dodgers semblaient sûrs de pouvoir l'emporter. Mais tout à coup, le désastre s'abattit sur eux — un désastre si soudain et d'une telle ampleur que les historiens du baseball s'en souviennent encore aujourd'hui.

Les Dodgers de Branca avaient le dessus. C'était la dernière moitié de la dernière manche et Branca était le lanceur. Du côté des Giants, Bobby Thomson était à la batte. Tout ce que Branca avait à faire, c'était de se débarrasser de cet homme-là et son équipe gagnait la partie et le trophée. La victoire semblait tellement assurée que la foule était déjà en train de quitter les gradins et de se diriger vers la sortie. Chez eux, un bon million de téléspectateurs avaient déjà éteint leur poste de télévision et commençaient à penser qu'ils devraient ramasser l'argent qu'ils avaient parié.

Mais Branca lança si mal qu'il bouleversa toutes les prévisions. Plus tard, il avoua qu'il se sentait très mal à l'aise, même avant de lancer. Les Giants gagnèrent. Depuis lors, aucun Dodger, que ce soit à Brooklyn ou à Los Angeles, n'a plus jamais porté le numéro 13.

La plupart des gens considèrent le 13 comme un numéro porteur de malchance. Aucun nombre porte-bonheur ne fait à ce point l'unanimité. Pour certaines raisons, que l'on s'explique mal, les gens se montrent plus indépendants dans le choix de leur nombre porte-bonheur.

Certains l'adoptent au hasard. Quand on leur demande la raison pour laquelle ils ont chosi ce nombre-là précisément, ils hésitent et ne trouvent, le plus souvent, aucune raison rationnelle. Parfois, le choix remonte à l'enfance ou à l'adolescence: numéro que l'on portait dans l'équipe de football lors d'une saison particulièrement bonne, numéro de la maison dans laquelle on a vécu des moments heureux, nombre d'amis qui faisaient partie de la même bande que soi quand on était jeune, etc.

Certains, à l'instar de Will Barber, mettent plus de soin à déterminer leur nombre porte-bonheur. Ils savent expliquer, d'une façon qui semble plus rationnelle, la ou les raisons qui font que le numéro en question leur est plus propice que les autres. Souvent la raison invoquée touche à certaine particularité bien sympathique, mais profondément inutile, de certains de ces nombres.

Will Barber aimait les siens parce que qu'on les additionne ou qu'on les multiplie, le résultat est toujours amusant. Ces chiffres semblent jolis. Ils paraissent bien. Ils semblent faits pour s'entendre. Mes nombres porte-bonheur personnels sont le 6 et le 28. J'ai une raison magnifique et irréfutable de les avoir choisis. D'abord, ils correspondent à ma date anniversaire. Je suis né en juin 28. Ensuite, ils sont les deux seuls nombres "parfaits" plus petits que cent. Un chiffre parfait, dans la théorie des nombres, est celui qui est égal à la somme de ses facteurs. Les facteurs de 6 sont 1, 2 et 3 qui, additionnés, donne nt 6. Les facteurs de 28 sont 1, 2, 14, 4 et 7. Additionnés, ils font 28. Les nombres parfaits sont rarissimes. Parmi les nombres inférieurs à un million, il n'en existe que quelques dizaines. Vous voyez donc que j'ai eu tout à fait raison de choisir ceux-ci.

Me sont-ils bénéfiques? Probablement pas beaucoup. Il m'est arrivé une fois, lors d'une croisière, de jouer à la roulette. J'ai mis mes jetons de vingt-cinq sous sur le 6 et le 28. Si ces chiffres étaient sortis, j'aurais gagné du trente-cinq pour un. J'aurais donc reçu $8,75, plus ma mise. En jouant ainsi on a, à la roulette américaine, à chaque tour, une chance sur dix-neuf de gagner. J'ai joué vingt tours. Mes chiffres ne sont jamais sortis. J'ai perdu dix dollars. J'ai donc quitté la table et, au tour suivant, eh bien! le 6 a gagné. Plutôt de mauvaise humeur, j'ai été prendre un verre. Plus tard, un des autres joueurs a pris la peine de venir me raconter ce qui s'est passé. Cela m'a déprimé encore plus... Dans les dix ou douze tours qui suivirent, le 28 était sorti deux fois.

Quelle leçon faut-il en tirer? Celle-ci, j'imagine: les numéros porte-bonheur sont amusants mais il ne faut pas trop en attendre. Il est bon d'en avoir un, juste au cas où... disons, cela porterait bonheur.

Nancy Berman est un professeur de mathématiques à la retraite. Elle habite la Californie et passe quelques semaines à Las Vegas chaque année. Elle prétend que chaque fois qu'elle rentre chez elle, elle est plus riche qu'elle ne 'était avant de partir. Elle aime bien le Black-Jack, ou vingt-et-un, jeu de réflexion autant que de hasard, et la roulette, simple jeu de hasard. Elle attribue partiellement sa chance au fait qu'elle tient compte, lorsqu'elle joue, d'un mystérieux ensemble de onze chiffres qu'elle appelle le Grand Palindrome.

Je vous conseille, ami lecteur, de passer très vite sur les prochains paragraphes si les mathématiques vous ennuient ou vous font hurler. Un palindrome est un nombre, un mot ou une phrase qu'on peut lire dans les deux sens. Par exemple: "Laval" ou "Esope reste ici et se repose". Le chiffre 10101, par exemple, est un palindrome numérique. Il s'avère que certains très jolis palindromes (très jolisepour celui qui aime les chiffres, bien sûr) s'obtiennent en faisant certaines opérations mathématiques qui impliquent des chiffres qui se suivent. Ainsi, si vous portez au carré (c'est-à-dire si vous multipliez par lui-même) chaque chiffre de 0 à 10 et si vous alignez côte à côte dans l'ordre le dernier chiffre de chacun de ces carrés, vous obtenez: 0 1 4 9 6 9 6 9 4 1 0. Très joli et très mystérieux! Vous obtenez le même superbe palindrome en mettant à la suite dans l'ordre le dernier chiffre des carrés des nombres de 10 à 20, de 20 à 30, et ainsi de suite à l'infini.

Quand on porte au cube des chiffres qui se suivent de la manière dont on vient de faire pour le carré, on obtient le même genre de séries de nombres qui se répètent toujours, mais qui, même si elles sont intéressantes à d'autres égards, ne sont pas des palindromes. Le Grand Palindrome de Nancy Berman s'obtient en portant ces chiffres à la quatrième puissance (2 X 2 X 2 X 2, par exemple). Si vous le faites, vous obtenez à l'infini la charmante répétition des chiffres suivants: 0 1 6 1 6 5 6 1 6 1 0.

Elever les nombres à une puissance encore plus grande ne produit rien de neuf. On obtient des palindromes semblables et d'autres séries de chiffres qui se répètent. Donc, pour reprendre la terminologie de Nancy Berman, le palindrome de la puissance 4 est le plus "élevé". C'est pourquoi il mérite l'épithète de "Grand". De plus, il est joli et facile à retenir.

Mais quelle est son utilité pratique? Selon Nancy Berman, les quatre chiffres dont se compose le Grand Palindrome (0, 1, 5 et 6) ont entre eux de puissantes et secrètes affinités. Si l'un d'eux sort à la roulette, prétend-elle, les autres ne tardent jamais à sortir aussi. "J'observe la roulette sans jouer. J'attends qu'un des quatre chiffres sorte. Quand cela se produit, je mise immédiatement sur les trois autres. Il est presque sûr qu'au moins l'un des trois va gagner et beaucoup plus rapidement que si c'était dû au pur hasard."

Etrange! Nancy Berman est une femme de grande taille. Elle a les cheveux gris. Elle est très intelligente. Son regard est franc et sa poignée de main est plus vigoureuse que celle de beaucoup d'hommes. Rien dans son apparence ni dans sa manière d'agir ne laisse supposer qu'elle souffre de quelque défaillance intellectuelle, quelle soit trop crédule ou portée sur les rêveries métaphysiques. Elle reconnaît elle-même que toute cette affaire de Grand Palindrome ne correspond pas à sa personnalité. "Je suis une femme très pratique, dit-elle en feignant l'étonnement. Je ne crois que ce que je vois. Surtout quand il s'agit de mes sous. Je ne lis pas les horoscopes. Je ne porte pas de fétiche. Franchement, je suis un peu gênée de croire en la numérologie. Si vous vouliez me convaincre que c'est de la blague, je ne discuterais pas. Je n'essaierais même pas de défendre mon point de vue. Mais..."

Mais quoi? Ce que cela montre peut-être, c'est que vos nombres porte-bonheur, si vous en avez, peuvent contribuer à vous rendre sûr de vous. Ils peuvent vous guider dans certaines situations où, si d'innombrables choix sont possibles, aucun cependant ne peut se fonder sur une base rationnelle. C'est le cas de la roulette. Aucun système logique n'accroît vos chances de gagner. Certaines façons de miser et certaines martingales sont peut-être capables de ralentir la vitesse à laquelle vous perdez, mais, à part cela, il n'y a pas grand choix logique à faire. Un nombre en vaut un autre. Devant tant de possibilités de choix, sans aucun critère rationnel, il peut arriver que l'on se sente paralysé, incapable de décider quoi que ce soit.

L'inertie, la paralysie intellectuelle, devant une table de roulette, n'ont pas grande importance, bien sûr. Cela signifie simplement que vous ne jouez pas. Mais dans d'autres domaines de l'existence, plus déterminants, quand il faut décider et que les données factuelles manquent, l'immobilisme est souvent la pire de toutes les attitudes. Certaines situations vous forcent à faire *quelque chose,* même si vous n'avez aucun moyen de savoir quoi. Si, en voiture, vous arrivez devant un embranchement et que vous ne connaissez pas la bonne route, il vous faut bien choisir. Ce choix est irrationnel. Si vous restez longtemps au milieu de la route à hésiter, il y a de grandes chances pour que vous vous placiez vous-même en danger de mort. Dans un tel cas, tout ce qui peut vous aider à décider est bon. *Tout,* même si c'est un numéro porte-bonheur.

Pour Nancy Berman, le Grand Palindrome a au moins cela de bon. "Que l'on croie à la puissance magique de certains nombres ou qu'on n'y croie pas, dit-elle, le fait est que je ne jouerais pas à la roulette si quelque chose de semblable ne me guidait pas. Je ne saurais quel numéro choisir. La numérologie peut paraître stupide à bien du monde, mais elle me permet de jouer à un jeu que j'aime. J'aimerais ce jeu même si je perdais. Le fait que le plus souvent je gagne me le rend encore plus agréable et plus fascinant." Elle sourit et ajoute: "Vous n'êtes pas obligé de me croire, bien sûr!"

Je ne sais pas si j'y crois ou non. La plus grosse partie de ses gains proviennent peut-être du Black-Jack, où un choix intelligent augmente considérablement les chances des joueurs. En ce qui concerne la roulette, j'ai déjà noté la première loi de la probabilité: "Tout peut arriver", comme aussi la seconde: "Tout ce qui peut arriver finit par arriver". De longues suites de coups de chance se produisent parfois. Même des suites qui durent la vie entière. Certains croiront que la chance de Nancy Berman ne lui vient pas de ce Grand Palindrome. Ils devront au moins admettre qu'il y a là une coïncidence curieuse. C'est peut-être simplement que la roulette s'est arrêté plus souvent sur le 0, 1, 5 et 6 quand elle était tout près.

Peu importe ce qu'on en pense ou comment on interprète l'histoire, il ne fait aucun doute que ce qu'elle dit à propos de la nécessité de choisir est plein de bon sens. Les gens qui ont de la chance, on le verra plus tard, savent choisir quand les données factuelles leur manquent.

Harold Muhs est lui aussi à sa retraite. Il était barman. Il vit à Trenton, dans le New Jersey. Il a soixante-neuf ans. Il est amical, mais plutôt taciturne. Comme beaucoup de barmans, il garde la plupart de ses opinions pour lui, y compris ses opinions sur la chance. D'autres personnes se sont chargées de beaucoup penser et de parler de lui ces dernières années, depuis que la chance lui a souri et l'a tiré de cet anonymat où il aurait sans doute préféré rester.

Le 4 janvier 1973, il gagna cinquante mille dollars à la loterie de l'Etat du New Jersey. Le 4 mars 1976, il gagna de nouveau: deux cent cinquante mille dollars, cette fois.

En 1976, le numéro de son billet se terminait par 4. C'est, chaque fois, le quatrième jour du mois qu'il a gagné. Ces faits ont attiré la curiosité de tous les numérologues des environs. Quelques-uns et aussi certains synchronistes, se sont lancés dans d'extravagantes spéculations. Ils ont établi les rapports entre Harold Muhs et certains chiffres. Ils ont fait remarquer qu'on arrivait à un résultat assez intéressant en multipliant entre eux les chiffres de ces deux dates, 4-1-73 et 4-3-73. En multiplaint 4 X 1 X 7 X 3, on obtient 84. Dans l'autre cas, on obtient 504. 84 est non seulement un facteur de 504 mais les deux nombres se terminent par 4 et sont divisibles par 4. De plus, si l'on multiplie 84 X 504, si l'on porte 84 au carré, ou 504, on obtient dans les trois cas un nombre qui, lorsqu'on en additionne chaque chiffre, est le même: 18. Cela semble donc un cas parfait de synchronisme numérique!

— Eh bien, monsieur Muhs, demandai-je, que pensez-vous de tout cela? Le chiffre 4 vous porte-t-il bonheur? Ou bien le nombre 18, peut-être?

— Pas du tout. Le seul chiffre qui m'intéresse, c'est le 3.

— Oh! Pourquoi le 3?

— J'attends de voir si la chance peut tomber sur le même bonhomme une troisième fois.

2. LE DESTIN ET DIEU

Certains croient en Dieu. D'autres n'y croient pas. D'autres encore ne sont pas sûrs de son existence. On trouve parmi les croyants une infinité de théories — des centaines, peut-être des milliers — sur la nature de ce Dieu, de ses relations avec nous qui ne sommes que de pauvres mortels sur la terre. Mais pour tout ce qui a trait à la chance, les croyants se divisent en deux grands groupes.

Le premier prétend que Dieu, s'il a créé l'homme et s'intéresse à son bien-être, ne se mêle pas, par contre, d'exercer une influence précise sur la vie individuelle de chacun. Dieu aime la race humaine, mais ne s'inquiète pas du cours de la vie des uns et des autres. Selon cette école de pensée, l'homme sur la terre doit se battre pour trouver sa subsistance, pour mériter sa chance et se frayer son chemin à travers son obscur destin, sans que le ciel ne l'aide ou ne lui nuise.

D'autres croyants, peut-être plus nombreux, affirment que Dieu se préoccupe effectivement de la vie individuelle de chacun des hommes. Dieu nous a mis sur la terre en vue de la réalisation d'un objectif qu'il connaît. Il manipule donc soigneusement chaque vie pour que cet objectif soit atteint.

Selon cette école, Dieu sait, à la naissance de chaque homme, ce qu'il veut que celui-ci fasse de sa vie et quel doit être son destin. Tout ce qui lui arrive fait donc partie de son plan. En d'autres termes, la chance n'est rien d'autre que la volonté de Dieu.

Cette manière de considérer la chance est peut-être la plus répandue de toutes les théories. Il serait présomptueux de tenter ici de l'analyser et ce serait d'ailleur superflu, puisque des millions de livres ont été écrits sur Dieu et sur la destinée humaine. La Bible est le plus remarquable de tous. Il n'y est jamais écrit en toutes lettres: "La chance est la volonté de Dieu", mais c'est pourtant une de ses significations essentielles. Même si plusieurs s'y sont essayés, ce qui est écrit dans la Bible n'a jamais pu être réécrit aussi bien nulle part ailleurs. Je ne vais donc pas le tenter.

Je vais plutôt me contenter de raconter l'histoire d'une femme remarquable qui pense effectivement que la chance relève de la volonté divine. Comme toutes les autres anecdotes de ce livre, je présente son histoire à titre de simple information et non comme un plaidoyer. Si quelques lecteurs professent sur la chance une autre théorie, mon histoire ne leur fera sans doute pas changer d'avois. Au mieux, si elle atteint son but, elle servira à expliquer pourquoi certains hommes et certaines femmes trouvent raisonnable de croire qu'une intelligence invisible régit tous les détails de la destinée humaine.

Mais avant de poursuivre, je voudrais apporter quelques précisions linguistiques. Cette intelligence dont il vient d'être question porte plusieurs noms. J'utiliserai pour ma part le terme chrétien et juif, c'est-à-dire le mot "Dieu". Ce mot est court. Il est porteur d'assez de sens pour correspondre à ce que je veux dire. J'emploierai le "il" classique, même si cet être mystérieux que peu d'humains ont jamais rencontré personnellement pourrait être tout aussi bien "elle" ou même "eux". "Il" est donc une commodité de style. Ce n'est pas une position sexiste non plus qu'une négation de l'existence éventuelle de plusieurs dieux. Pour éviter l'emploi de pronoms ampoulés, je ne me conformerai pas à l'usage pieux qui consiste à écrire "il" et "lui" avec une majuscule. Si Dieu existe effectivement, s'il lit des livres et s'il est aussi bienveillant qu'on le dit, il est plus que probable que la minuscule l'amuse et qu'elle ne l'offense pas.

Voici donc l'histoire d'Irène Kampen, écrivain. C'est sans doute son livre *Vivre sans Georges,* un livre humain et drôle, qui a le plus contribué à la faire connaître. Lucille Ball en a tiré une série télévisée. Irène Kampen a écrit d'autres livres. Le même humour grinçant les caractérise tous. Chacun est basé sur son expérience de femme de la classe moyenne, qui vit en banlieue et essaie de rester elle-même dans un monde difficile et parfois hostile. Elle compte de nombreux et fidèles lecteurs. Ses livres et la série télévisée l'ont rendue passablement riche. Elle a souvent réfléchi à cette gloire et à cette fortune qui lui sont tout à coup tombées du ciel alors qu'elle n'était déjà plus très jeune. Elle avait vécu jusque-là dans un désespoir si noir qu'il semblait sans issue.

— Si quelqu'un, en 1960, était venu me voir et m'avait dit que je me mettrais à écrire des livres, dit-elle, j'aurais répondu "ridicule". Cela ne m'effleurait même pas l'esprit. Et si cette même personne m'avait prédit que je deviendrais un auteur à succès, un Ecrivain, je lui aurais ri au nez. J'étais divorcée. Je n'avais pas un sou. J'essayais tant bien que mal d'élever mon enfant. Je vivais littéralement dans la misère. Je ne voyais pas comment m'en sortir. Toute ma vie semblait fichue. Mais c'est alors...

C'est alors que la chance a tourné. Toute une série de coups de chance incroyables ont bouleversé sa vie. La chance lui tombait de partout et de nulle part. Après, une fois le calme revenu, toute sa vie en a été radicalement modifiée.

La chance? Irène Kampen pense que Dieu avait tout prévu dès le début.

— Il m'a placé sur la terre pour faire rire les gens, dit-elle, absolument convaincue. Tout ce qui m'est arrivé, y compris ma souffrance et ma misère antérieures, avait pour but de m'apporter cela. Je suis ce que je suis maintenant parce que Dieu l'a voulu ainsi. Je ne vois pas d'autre explication. Pour qu'un changement aussi radical intervienne dans mon existence, il a fallu qu'une infinité d'événements différents arrivent au bon moment à une infinité de personnes. Il a fallu que ces événements s'agencent comme les morceaux d'un casse-tête. Si une seule pièce avait manqué, le tout se serait effondré, tout le processus se serait arrêté. Je serais encore aussi misérable que je l'étais en 1960. Il me semble impossible de ne pas croire qu'une puissance supérieure n'ait pas tout organisé.

Irène Kampen a près de cinquante-cinq ans. Elle est élégante et possède un esprit extraordinairement vif. S'il est exact que Dieu l'a mise sur la terre pour faire rire les gens, alors elle sert admirablement bien ses desseins. Dans les alentours de Ridgefield, au Connecticut, là où elle habite, elle compte parmi les conférenciers les plus populaires du Lions Club, du Woman's Club et du Rotary. Elle voyage fréquemment à travers le pays. Elle parle à d'autres auditoires. Les gens quittent presque toujours la salle en souriant. Elle prétend qu'elle ne possédait pas ce talent quand elle était plus jeune. Elle croit que cette faculté de faire rire les autres — cette façon bien personnelle de faire des grimaces et de se moquer d'elle-même — lui est venue petit à petit. Pour elle, c'est la même puissance suprême qui a développé son pouvoir comique et son talent d'écrivain. Quelqu'un, croit-elle, a structuré sa vie dès le début de façon à ce qu'elle devienne écrivain. Quelqu'un lui a donné les deux choses indispensables: une quantité énorme d'expériences vécues qu'elle peut raconter et un caractère façonné par les événements de telle sorte que son style soit comique.

Irène Kampen est née à Brooklyn. Son enfance fut heureuse et se passa sans histoire. Elle étudia le journalisme à l'Université du Wisconsin — une université qu'elle choisit un peu par hasard. Du moins, c'est ce qu'elle pensait alors. Elle est sûre maintenant que c'est l'au-delà qui a soigneusement choisi pour elle cet établissement. C'est là qu'elle rencontra son futur mari. La deuxième guerre mondiale faisait rage alors. Il s'enrôla comme pilote sur un chasseur bombardier. Elle travailla quelque temps comme journaliste en attendant son retour, mais elle n'aimait pas son travail et le quitta. Son mari revint dès la fin de la guerre et reprit sa carrière interrompue d'illustrateur. Ils se marièrent et s'achetèrent une maison à Levittown, au Long Island. Ils eurent une petite fille.

— C'est la période la plus heureuse de ma vie. J'étais une jeune mère de famille. Je vivais en banlieue. Cela m'occupait à plein temps. En ce temps-là, on pouvait encore être une jeune mère de famille et vivre en banlieue sans avoir le sentiment qu'il faut s'excuser d'aimer cela. Je trouvais ma vie formidable.

Cependant, petit à petit, le destin se mit en branle. Ses parents achetèrent une maison à Ridgefield. Irène et son mari leur rendaient visite de temps en temps. Ils finirent par aimer cette petite ville (aujourd'hui plus importante) de Nouvelle-Angleterre et décidèrent finalement d'y habiter aussi. Ils firent dessiner par un architecte une maison qui correspondait à leurs goûts.

— L'architecte était marié. Sa femme et lui formaient un couple agréable. Souvent, après avoir discuté affaires, nous sortions tous les quatre passer la soirée en ville. Après quelque temps, la femme de l'architecte et mon mari se mirent à parler de bien d'autres choses que de construction. En fait, ils s'enfuirent ensemble.

Au bout de deux ans, Irène divorça. Elle garda la maison de Ridgefield et se mit, pour gagner sa vie et celle de sa fille, à travailler comme fleuriste dans le magasin de son père à New York. Son salaire couvrait à peine ses dépenses. Elle se sentait seule. Elle avait du mal à payer la maison. Elle invita alors une amie à venir habiter avec elle. Cette amie était une autre divorcée de Ridgefield et avait également un petit garçon.

Ce fut la période la plus sombre de l'existence d'Irène.

— Ma fille était ma seule raison de vivre. N'eut été d'elle... Enfin! Quoi qu'il en soit, c'était vers la fin des années 1950 et j'ai commencé à fréquenter l'église. La religion ne m'avait jamais sérieusement intéressée. Je cherchais alors désespérément n'importe quelle sorte de consolation. Je ne priais pas pour que les choses s'améliorent. J'étais trop pessimiste. Non! Ma prière d'alors, c'était: "Je sais que je suis finie. Je ne demande pas de surprises comme dans les contes de fée. Seulement, de grâce, que les choses n'empirent pas."

Elle ignorait alors que la roue du sort commençait à tourner lentement mais tranquillement en sa faveur. De l'autre côté du continent, en Californie, Lucille Ball et Desi Arnaz, époux en même temps qu'associés, commençaient à avoir de gros problèmes. Leur mariage et leur association étaient en train de se rompre. Irène se rappelle avoir lu l'histoire dans un magazine. Elle ressentit alors une sorte d'élan de sympathie envers l'actrice aux cheveux cuivrés. Mais, bien sûr, elle l'oublia très vite complètement.

Un jour, Irène rencontra Carl Nash, rédacteur en chef et propriétaire d'un hebdomadaire à Ridgefield. Nash se plaignit à elle de ce que son journal manquait d'humour.

Irène n'avait plus rien écrit depuis ce bref épisode où elle avait été journaliste, juste avant son mariage. L'idée de reprendre cette carrière avortée ne lui était jamais venue jusqu'à cette rencontre inopinée avec Carl Nash. Elle est persuadée maintenant que Dieu a délibérément provoqué cette rencontre avec le propriétaire du journal. Ce soir-là, elle rentra chez elle, réfléchit à ce que Nash lui avait dit et, quelques jours plus tard, retourna le voir et lui proposa de tenir une chronique humoristique chaque semaine sur les événements locaux et sur les habitants de la ville. Nash jeta un coup d'oeil sur les quelques textes qu'elle lui avait apportés. Ils lui plurent et il lui offrit cinq dollars par semaine pour continuer.

— Ce n'était pas beaucoup d'argent, dit-elle, mais étant donné ma situation financière, je ne pouvais me permettre de refuser quoi que ce soit. Ma rubrique s'appelait "La petite chose du jeudi". On la publia pendant quelques mois. Au bout d'un certain temps, Nash se mit à recevoir des plaintes des personnages locaux décrits dans ma chronique. Ce que je racontais à leur sujet ne les amusait pas. "La petite chose du jeudi" a donc été interrompue.

C'est à la bibliothèque municipale de Ridgefield que Dieu intervint une nouvelle fois, mystérieusement, dans le destin d'Irène. Elle allait y rapporter un livre et, en route, elle rencontra une de ses connaissances, un artiste. Ce dernier lui dit que "La petite chose du jeudi" était excellente et qu'il trouvait bien dommage que sa parution eut cessé. D'après lui, Irène devrait rassembler ses chroniques et en faire un livre. Irène le remercia tout en doutant de la pertinence du conseil. Elle rapporta donc le livre à la bibliothèque. C'était un ouvrage soi-disant humoristique, écrit par une femme. Irène ne l'avait pas trouvé très drôle. Elle en fit part à la bibliothécaire et ajouta: "Je pourrais écrire quelque chose de bien plus drôle que cela." La bibliothécaire était ce jour-là de fort mauvaise humeur. Les bibliothécaires entendent souvent des commentaires du même genre et, d'habitude, ils hochent la tête poliment et ne répondent même pas. Mais cette fois-là, la bibliothécaire répondit. Elle suggéra d'un ton cassant qu'au lieu de critiquer, Irène ferait bien mieux de s'installer devant une machine à écrire. "C'est facile de prétendre qu'on peut écrire un livre. Des centaines de gens me le disent toutes les semaines. J'aimerais rencontrer une fois, une seule fois, un lecteur qui, non seulement le dise, mais aussi qui le fasse."

Les paroles de son ami artiste avaient encouragé Irène quelques instants plus tôt. Les mots acerbes de la bibliothécaire, quelques minutes plus tard, la piquèrent à vif. La combinaison était puissante. Une sorte d'engrenage se mit en route. Le même soir, Irène, commença un livre sur la vie de deux femmes divorcées vivant dans une même maison avec deux jeunes enfants. Elle y travailla à temps perdu toute l'année suivante. Elle n'était pas pressée. Elle ne savait pas du tout ce qu'elle en ferait.

— J'ignorais pourquoi j'écrivais ce livre, dit-elle. Ce n'était ni plus ni moins qu'un passe-temps, quelque chose qui me permettait d'oublier mes soucis. A quelques reprises, j'ai bien dû rêver de le faire éditer mais sans croire jamais que cela puisse se produire vraiment. Je continuais à écrire sans penser plus loin que la page qui venait ensuite. C'était une curieuse impulsion... Je ne pouvais pas l'expliquer alors, mais je crois le pouvoir maintenant. L'impulsion venait de... quelque part, plus loin que moi. Elle faisait partie du plan.

L'étape suivante de ce plan qui semblait si bien tracé fut une rencontre, en apparence fortuite, qu'elle fit à New York.

— J'allais prendre le train pour rentrer chez moi lorsque je rencontrai par hasard un vieil ami que je n'avais plus vu depuis des années. Il écrivait des textes pour la télévision. Sans cette rencontre, tout serait tombé à l'eau. Elle est un élément essentiel du casse-tête. Cet ami m'offrit un verre. Je lui racontai ce que je faisais et finis par lui laisser une copie de mon livre inachevé. Il le montra à un réalisateur de télévision. Tous deux me dirent qu'il fallait y travailler encore. Ils me donnèrent de précieux conseils pour l'améliorer, et surtout pour mieux organiser mon récit. Je passai les quelques mois suivants à réaménager et à réarranger le texte.

Pour que le plan de Dieu progresse, il était essentiel en effet que le livre fut tout à fait bien fini avant que ne commençât l'épisode suivant. Le déménagement à Ridgefield de l'acteur Cyril Ritchard en marqua le début. La mère d'Irène d'abord, puis Irène elle-même firent sa connaissance. Un samedi, lors d'une réception au domicile de Ritchard, Irène rencontra un scripteur d'Hollywood.

— Je lui dis que je travaillais sur quelque chose qui me semblait être un livre. Si je lui avais seulement dit que j'avais l'intention d'écrire un livre, cela ne l'aurait certainement pas intéressé. Comme j'avais vraiment un manuscrit à lui montrer, il fut assez poli pour me demander d'y jeter un coup d'oeil.

De fait, il l'aima. Il le fit voir à un rédacteur de la Twentieth Century-Fox. Ce dernier semblait l'aimer aussi, mais n'en était pas certain. Il suggéra donc d'envoyer le texte à un agent littéraire de ses connaissances, à New York.

L'agent ne l'aurait probablement pas lu s'il lui était simplement parvenu d'une inconnue vivant en banlieue. Mais comme le texte lui avait été envoyé avec une recommandation d'un rédacteur d'Hollywood extrêmement connu, il le lut, le trouva plein de promesses et le soumit à un éditeur. Le manuscrit plut également à ce dernier, et il offrit à Irène une avance de mille dollars, ainsi que l'habituel contrat relatif aux droits d'auteur.

— J'en fus très surprise, dit Irène. A cette époque, mille dollars était pour moi une véritable fortune. J'aurais déjà été très satisfaite de voir mon livre publié, mais qu'on me donne une avance en plus, je trouvais cela tout simplement fantastique.

L'agent littéraire était cependant moins enthousiaste. Une avance de mille dollars ne représentait pas grand chose. En offrant si peu, l'éditeur montrait, sans le dire, qu'il ne comptait pas vraiment que le livre se vendît à des milliers d'exemplaires. Pour sauver la face, plus que pour d'autres raisons, l'agent littéraire demanda certaines modifications au contrat. L'une d'elles stipulait qu'advenant la vente à la télévision d'une partie quelconque du livre, toutes les recettes qui en résulteraient iraient à l'auteur. L'éditeur, riant sans doute en lui-même de cette fantaisie, acquiesça poliment.

— Il était évidemment ridicule de penser télévision à ce moment-là, concède Irène. Franchement, je trouvais cela drôle, moi-même.

Pendant ce temps, en Californie, Lucille Ball et Desi Arnaz se séparaient. L'actrice, quelque peu aigrie, se cherchait un nouveau personnage, comme on dit dans le monde du spectacle. Elle et son amie, Viviane Vance, souhaitaient trouver une série drôle dans laquelle les hommes ne tiendraient aucun rôle principal. Elles cherchaient en vain depuis près de trois ans. Elles commençaient sérieusement à désespérer.

Un jour, l'agent de Lucille Ball tomba sur un exemplaire du livre d'Irène Kampen. La série télévisée qui en fut tirée passa au petit écran pendant sept ans, et encore aujourd'hui, elle apparaît quelquefois en reprise.

Comme pour tout ce qui a trait à la chance, l'interprétation de ce qui est arrivé à Irène Kampen n'est pas univoque. Il serait parfaitement possible de reprendre toute son histoire et de l'interpréter selon le point de vue d'un partisan de la théorie du hasard, d'un astrologue, selon la théorie des forces psychiques ou même selon toute autre théorie. Irène Kampen l'admet elle-même — mais seulement à contrecoeur, et encore pas toujours. Pour elle, l'interprétation religieuse est tout aussi solide que les faits eux-mêmes. Votre interprétation personnelle de son histoire diffère peut-être de la sienne. Peut-être même êtes-vous, vous-même, tout aussi certain d'avoir raison. C'est bien légitime. De toute manière, ne perdez pas votre temps à chercher à faire accepter votre interprétation par d'autres. Ceux qui vous écouteront sont ceux qui sont déjà de votre avis. Une fois que les gens en sont venus à une conclusion sur la nature de la chance — même à une vague conclusion —, il devient très difficile de leur faire changer d'avis.

3. FÉTICHES, SIGNES ET PRÉSAGES

Tous les jours, à midi juste, un homme se rend au coin d'une rue très passante avec un drapeau vert et un clairon. Il agite le drapeau, joue quelques notes de clairon, prononce une mystérieuse incantation et puis s'en va. Un policier qui observe le manège depuis plusieurs semaines se laisse finalement gagner par la curiosité.

— Que diable faites-vous donc? demande le policier.

— J'éloigne les girafes, répond l'homme.

— Mais il n'y a pas de girafes ici, remarque le policier.

— Je travaille donc très bien, n'est-ce pas? conclut le bonhomme.

Mon père aimait raconter cette anecdote lorsqu'il s'agissait des causes et de leurs effets. Les personnages changeaient au fil des ans. L'histoire comportait parfois des éléments encore plus farfelus mais son propos restait toujours le même. Mon père la racontait pour réfuter ce qu'il appelait "les maudites superstitions", catégorie dans laquelle il rangeait toutes les croyances occultes ou mystiques à propos de la chance. Mon père était un banquier suisse, un pur produit de la culture occidentale, industrielle et pragmatique d'Europe et d'Amérique. S'il ne pouvait constater vraiment qu'une cause donnée produisait tel ou tel effet — s'il ne pouvait voir précisément le lien entre les deux ou si ce lien n'avait rien à voir avec les lois physiques connues —, alors, il mettait en doute l'existence même du lien de cause à effet. Il racontait l'histoire des girafes chaque fois qu'on essayait de lui prouver le caractère scientifique de l'astrologie: "Ce qui m'est arrivé cette semaine était exactement prévu dans mon horoscope", ou quand on lui parlait de chiffres porte-bonheur: "Qu'est-ce que je vous disais? Je savais que tout marcherait bien. On est aujourd'hui le 6!", ou encore quand on lui parlait de tarots, de feuilles de thé, de chat noir, de sel renversé, de miroir brisé, de patte de lapin, ou de cette infinité de choses qui ont la réputation de pouvoir influencer la chance, ou à l'aide desquelles certains pensent pouvoir la prédire.

Le fond de cette histoire que racontait mon père est d'un irréfutable gros bon sens, c'est évident. Ce serait une erreur de logique de supposer une relation de cause à effet par suite uniquement de la proximité ou de la distance. Quand deux événements surviennent simultanément ou de façon consécutive, il est parfois vrai — et parfois non — que l'un puisse être la cause de l'autre. Si un chat noir a croisé le chemin d'une personne la semaine précédente, et que celle-ci se brise une jambe cette semaine, il est peut-être injuste d'en imputer la responsabilité au chat.

D'un autre côté... Qui sait? Ce pourrait être une erreur tout aussi grande de nier qu'il existe un lien de cause à effet, simplement parce qu'on ne peut pas le voir. Pour les partisans de l'astrologie et d'autres systèmes occultes ou mystiques, cette idée est une sorte de pilier sur lequel s'appuient leurs diverses doctrines. Ils prétendent que notre pensée univoque, pratique, orientée vers le concret, laisse peu de place à tout ce qu'un ordinateur ne peut peser, mesurer ou analyser. "Ce n'est pas parce qu'une chose ne peut s'expliquer d'après les règles de la science matérialiste occidentale, disent-ils, qu'elle doit pour autant..."

Ils citent très souvent Hamlet. Hamlet a dit: "Il y a plus de choses dans le ciel et sur la terre, Horatio, que votre philosophie n'est capable d'en imaginer." Hamlet essayait de dire à son ami qu'il venait d'avoir une très longue conversation avec un fantôme. Ceux qui se servent de cette citation, fréquemment utilisée dans les débats du genre, omettent cependant d'ajouter qu'Horatio fut loin de se laisser convaincre. Il opta pour une conclusion nettement moins occulte: Hamlet était probablement devenu fou.

Hamlet, tout comme Horatio, avait le droit d'avoir son opinion et d'interpréter les événements comme il l'entendait. Mon père aussi. Tous ceux qui discutèrent avec lui, également. Et même vous, comme je l'ai déjà dit, vous avez le droit d'avoir votre propre opinion. Ce qui n'est pas mal avec les explications occultes et mystiques de l'univers, c'est qu'elles sont, très souvent, extrêmement intéressantes, même quand on n'y croit pas. Elles sont porteuses d'espoir. Elles suggèrent qu'il existe une possibilité de prédire ou de contrôler sa propre chance — ou, peut-être mieux, de la faire contrôler favorablement par une puissance amicale, que ce soit Dieu ou un chiffre porte-bonheur. Voici donc le moment venu de jeter rapide coup d'oeil sur quelques autres doctrines mystiques très répandues.

L'*astrologie* est une science (ou une croyance: à chacun de choisir). Elle soutient que les positions, les mouvements et les influences réciproques du soleil, de la lune, des étoiles, des planètes déterminent le cours des destinées humaines. "Si vous êtes capable de voir une étoile, dit Joseph Goodavage, astrologue d'un certain renom, c'est qu'évidemment sa lumière, ses radiations vous atteignent. Si ses radiations vous atteignent, on peut concevoir qu'elles vous influencent. Comment? Cela, nous ne le savons pas. Pas plus que nous ne savons exactement comment fonctionne la force de gravité. On peut néanmoins observer et classer les effets des astres. Les astrologues l'ont fait pendant des milliers d'années. L'astrologie est une science empirique. On sait, grâce à l'observation, que telle ou telle configuration du ciel produit tel ou tel effet sur la vie des personnes qui vivent sur la terre."

Certains accusent Goodavage et ses collègues de commettre un péché contre la logique et de choisir l'évidence. Des astrologues prétendent, par exemple, que les natifs du cancer ont tendance à se ressembler. Pour le prouver, ils présentent toute une liste de natifs du cancer qui ont toutes les caractéristiques de leur signe. Mais leur liste ne comprend pas: 1) les natifs du cancer qui n'ont pas les signes distinctifs du cancer et: 2) les natifs du scorpion qui ont les signes caractéristiques des natifs du cancer. Voilà ce que disent les sceptiques. Goodavage leur répond qu'ils ont étudié le problème de façon trop superficielle ou même qu'ils ne l'ont pas étudié du tout. Si un natif du cancer n'a pas tout à fait la personnalité propre à son signe, si le déroulement de sa vie n'est pas conforme à celle du cancer moyen, la raison évidente (c'est-à-dire évidente pour les astrologues) en est que le signe solaire de cet individu n'est pas, dans son cas, ce qui influence le plus son destin. Il se peut que les positions de la lune et de Saturne aient été plus influentes au moment et à l'endroit où il est né.

Une autre astrologue bien connue, Madeleine Monnet, me fit une suggestion très simple lorsque je lui posai la question de l'authenticité de l'astrologie.

— Essayez, dit-elle. Vous n'avez pas besoin de la vérifier toute votre vie. Essayez pendant un temps raisonnable. Vous verrez que cela marche.

Peu de temps après, mon épouse Dorothy et moi-même, lûmes, dans un journal, une annonce qui nous intrigua. Il s'agissait de quelque chose comme "l'horoscope de la chance pour toute la vie... le secret pour avoir de la chance". Selon la publicité, cet horoscope nouveau style venait d'être mis au point par une organisation qui s'appelait l'Association astrologique internationale (A.A.I.) dont le siège social se trouvait à Canton, dans l'Ohio. L'astrologue en chef en était, selon le journal, une certaine Cary Franks, surnommée (disait l'annonce) Dame Fortune. L'horoscope en question coûtait dix dollars.

Dorothy envoya donc un chèque de dix dollars avec l'heure et l'endroit de sa naissance. Dame Fortune lui adressa un petit livre de trente pages. Ce livre expliquait à Dorothy beaucoup plus qu'elle n'en voulait savoir sur ses années de chance, ses jours, ses heures, ses couleurs, ses chiffres porte-bonheur, ses bonnes influences astrales, et sur toute une série d'autres sujets. C'était compliqué. Un élément cependant semblait ressortir: Dorothy approchait d'une période de chance exceptionnelle. Cette période s'étendait depuis la fin du printemps et au début de l'été 1976.

"On va devenir riche," lui dis-je. Aussi, lui conseillai-je fortement d'acheter toute une série de billets de loterie. Elle en acheta
beaucoup mais ne gagna pas un sou.

Rien d'ailleurs de particulièrement heureux ne lui arriva, pendant que cette période soi-disant "bénéfique" était en train de s'écou-
ler. En fait, un jour, au moment où cette période de chance était
sensé atteindre son apogée, Dorothy vécut un incident qui n'avait
particulièrement rien à voir avec la chance. Elle venait de retourner aux études pour compléter un cours interrompu quelques années
plus tôt. En ce jour soi-disant de chance, on lui téléphona pour l'avi-
ser qu'elle devait aller passer l'examen final de mathématiques,
matière qu'elle détestait et dont elle avait peur. Elle avait deux heures pour terminer l'examen. Quand elle reçut son questionnaire, elle
s'aperçut qu'il avait seize pages. Elle paniqua. Elle se dépêcha tellement pour tenter de finir à temps, qu'elle commit des erreurs dans
certains problèmes très simples qu'elle aurait facilement pu résoudre à un rythme plus lent. Quand elle arriva à la page huit, elle réa-
lisa que le sort lui avait joué un mauvais tour. La page huit était en
effet la dernière du questionnaire. On lui avait donné deux formules
d'examen brochées ensemble.

J'ai parlé de l'incident à quelques fanatiques d'astrologie. Ils
m'ont dit que j'avais eu tort: j'avais projeté mes propres hypothèses
et mes propres espérances sur la prédiction de Dame Fortune. Dame
Fortune avait prédit que cette période-là serait bénéfique,mais elle
ne m'avait pas dit quelle forme prendrait la chance. Elle n'avait pas
promis à Dorothy de gagner le gros lot à la loterie ni de réussir ses
examens.

— Attendez et vous verrez, me dirent les astrologues. Avant que
la période ne se termine, nous sommes certains qu'il vous arrivera
des événements heureux. Votre chance se manifestera sans doute
sous la forme la plus inattendue.

Ils ont eu raison. Deux événements similaires et assez étranges
se sont produits de façon rapprochée. Les deux avaient quelque rapport avec une somme d'argent perdue puis retrouvée.

La première aventure se passa quelques jours après ce malheureux examen de mathématiques. Assise sur les marches devant un
des bâtiments du collège, Dorothy attendait une de ses amies. Cel-

le-ci étant en retard, Dorothy se mit à lire. Il ventait fort cet après-midi-là. Des feuilles mortes et des morceaux de papier volaient partout. Absorbée par sa lecture, Dorothy ne prêtait pas grande attention à ce qui se passait, jusqu'au moment où quelque chose lui arriva dans le visage. Elle voulut l'enlever du revers de la main mais le vent le maintenait. C'était un billet de vingt dollars. Elle se rendit compte soudain qu'elle était assise au milieu d'une avalanche d'argent. Des billets de vingt dollars, de dix dollars, d'un dollar, volaient dans l'air, virevoltaient autour de l'escalier, tombaient sur le sol, se plaquaient contre les murs, s'accrochaient dans les buissons. Elle se mit à faire la chasse aux billets. Elle essayait de les arrêter, de les attraper au vol. En même temps, elle se demandait ce qui avait bien pu provoquer cet étonnant hasard, il n'y avait personne aux alentours.

Finalement, elle finit par rattraper tous les billets qui volaient. Elle se rassit sur les marches, les deux mains pleines d'argent. Dorothy se demandait quoi faire. C'est alors qu'une jeune fille, le regard inquiet, se précipita hors du bâtiment. Ses yeux s'agrandirent quand elle vit ma femme assise, décontenancée, au pied de l'escalier.

"Est-ce votre argent?" demanda-t-elle. Sa voix tremblait. Elle était au bord des larmes.

Dorothy répondit non. Elle lui expliqua que le vent avait poussé tous ces billets vers elle.

"Dieu merci!" s'exclama la jeune fille. Elle s'assit sur les marches à son tour, pâle mais soulagée. L'argent ne lui appartenait pas. C'était la recette provenant des ventes de billets pour une soirée de charité. Elle allait le porter au bureau chargé de l'organisation et elle avait mis l'argent dans la poche de ses jeans. En arrivant au bureau quelques instants plus tôt, elle s'était aperçue avec horreur que plus de la moitié de la somme était tombée de sa poche.

— J'ignore comment j'aurais jamais pu rembourser une telle somme, dit la jeune fille. Je réussis à peine à couvrir mes propres dépenses. J'espère que vous avez pu ramasser le plus grand nombre de billets possible.

— Combien vous manque-t-il? demanda Dorothy.

— Cent vingt-deux dollars exactement, répondit la jeune fille.

Elles se mirent à compter l'argent que Dorothy avait dans les mains. C'était exactement cent vingt-deux dollars. Dorothy avait réussi à récupérer jusqu'au dernier dollar.

Par conséquent, et cela Dame Fortune ne l'avait pas précisé, Dorothy fut l'instrument d'une chance favorable pour quelqu'un d'autre. Pour elle, ce ne fut pas grand chose sinon du vent, mais le sourire éclatant de la jeune fille valait beaucoup plus.

Le second épisode ressemble fort au premier. Un après-midi, ma famille s'arrêta au bord de la route, dans un de ces restaurants où se vend de la crème glacée. Il appartenait à la chaîne Carvel. Il faisait très chaud. L'endroit était bourré de monde: des jeunes, des vieux, des grands, des petits, et (on peut le supposer) des hommes et des femmes dont le degré d'honnêteté pouvait varier énormément. Sans qu'elle s'en aperçût, le porte-monnaie de Dorothy tomba de son sac. Il contenait environ quatre-vingt-dix dollars, son permis de conduire, ses cartes de crédit et plusieurs autres pièces qui avaient une certaine valeur.

Elle s'en rendit compte le lendemain. Nous retournâmes donc tout de suite chez Carvel et le gérant lui tendit calmement son porte-monnaie.

Apparemment, il s'était passé toute une série d'événements surprenants. Plusieurs personnes avaient eu ce porte-monnaie en main. Chacune d'elles aurait pu le voler ou en extraire le contenu. Personne cependant ne l'avait fait. C'est un petit garçon qui l'avait trouvé sur le plancher. Il l'avait remis à sa mère. Cette dame l'avait donné à une des jeunes filles qui travaillent derrière le comptoir. Celle-ci l'avait à son tour placé sur une tablette. Quelqu'un d'autre l'avait déplacé et l'avait rangé en un autre endroit. Et enfin, un dernier employé avait fini par le remettre au gérant. Personne n'avait pris un seul dollar.

Dorothy était tellement contente qu'elle apporta une bouteille de champagne aux employés de chez Carvel. Je me demande si nous n'aurions pas dû en offrir une aussi à Dame Fortune en guise d'excuse pour le peu d'estime que nous avions eu pour ses prédictions. Sur le coup, cela m'avait semblé une bonne idée. Mais c'est alors, quelque part dans le fond de mon cerveau, que j'ai réentendu mon père raconter son histoire de girafes.

Quelques-uns pensent que *les rêves* contiennent une certaine information sur l'avenir — signes et présages qui, si on est capable de les reconnaître et de les déchiffrer, peuvent aider le rêveur à exercer un certain contrôle sur ce qui, autrement, serait incontrôlable. Certaines personnes croient que leurs rêves peuvent les aider à gagner à la loterie, à connaître d'avance le cheval qui remportera la course, à prendre en affaires les bonnes décisions, à rencontrer le mari ou la femme idéals, à retrouver des objets de valeur qu'on avait perdus, des personnes perdues de vue, à ne pas embarquer sur un navire sur le point de couler ou à ne pas prendre un avion qui va s'écraser.

Les rêves semblent en général contenir beaucoup de situations absurdes. Il ne faut donc pas se surprendre qu'on ait écrit un si grand nombre d'absurdités à leur sujet. C'est vrai dans d'innombrables cas, à partir des simples feuilles de chou des sectes mystiques jusqu'aux commentaires des psychanalistes. Qui pis est, dans le cas des psychanalistes, leurs commentaires sont souvent extrêmement ennuyeux. Mais ce qu'il y a de plus grave encore, c'est que l'on peut, à propos de ses rêves, dire toute une série de mensonges que personne ne peut jamais vérifier. Si quelqu'un vous affirme: "Je n'ai pas fait le voyage sur le Titanic parce qu'avant j'avais rêvé qu'il ferait naufrage", il n'y a aucune façon de découvrir si la personne a vraiment rêvé ce qu'elle affirme avoir rêvé. Aucun rêve ne laisse jamais de trace ni de preuve. Il faut croire le rêveur sur parole — et comme certaines personnes sont extrêmement fières de ce qu'elles rêvent, croyez-les sur parole, mais n'oubliez jamais d'être prudent.

Personnellement, j'ai préféré m'entretenir avec des gens qui n'avaient aucun besoin, ou aucun désir, de prouver quoi que ce soit à propos d'aventures étranges ou irrationnelles qu'ils auraient vécues pendant la nuit. Charles Kellner, d'Hillsdale, au New Jersey, est un de ceux-là.

Il travaillait le métal en feuille. Il est à présent retraité mais continue de travailler cependant comme employé dans un bar. Charles Kellner est un être extrêmement sociable. Il aime son nouveau travail. Son bar est rempli de trophées sportifs. Il est un collectionneur enthousiaste d'histoires de chance sans être le moindrement superstitieux. Par contre, il est ouvert à toutes les espèces de croyances occultes de l'un ou de l'autre. Lorsqu'une aventure un peu mystérieuse lui arrive, il en garde le souvenir précis pour pouvoir la raconter plus tard. Cependant il ne fait aucun prosélytisme. Il raconte son histoire avec un sourire et invite même ses auditeurs à rire de bon coeur avec lui. De fait, les gens qui l'écoutent ne sont jamais vraiment certains s'il rit ou non de lui-même.

A propos de ses rêves, il raconte souvent une histoire assez intrigante.

— Chez moi, dit-il, la chance semble m'arriver de façon apparemment cyclique. On dirait qu'il existe un temps pour la malchance et un temps pour la chance. D'ailleurs, ce n'est pas seulement la chance qui est cyclique mais un tas de choses — tous ces trucs de superstition, vous savez — qui semblent avoir un rapport étroit avec elle. Comparez vos rêves. Etudiez-les. J'ai rencontré un grand nombre de joueurs, de gens qui pariaient sur les chevaux, et d'autres personnes. Tous affirmaient que leurs rêves détermineraient la façon dont ils pariaient. Moi-même, je n'ai jamais accordé grand crédit à mes propres rêves. Je n'ai jamais essayé d'y trouver une ligne de conduite — sauf peut-être pendant un mois, l'année dernière. Cette fois-là, j'ai rêvé que j'étais en train de faire des affaires. Cela ne m'était jamais arrivé. Cela ne s'est d'ailleurs jamais reproduit, mais ce mois-là, c'était vraiment très drôle. J'ai gagné plus d'argent à l'heure en rêvant, que je n'en ai jamais fait en travaillant. Mon épouse m'a dit que j'aurais peut-être dû rester couché tout le temps...

Toute son histoire a commencé avec un rêve dans lequel il était question d'une maison hantée. Les rêves sont très rarement logiques. Celui-là ne faisait pas exception. Charles Kellner avait acheté la maison et il était en train de la faire visiter, très fier de lui, à un groupe d'amis. Ces derniers ne l'aimaient pas du tout et lui disaient qu'il était fou de l'avoir achetée. Il essayait de leur montrer qu'il n'avait pas peur. Certains éléments de son rêve n'étaient pas clairs, mais il semblait qu'il pouvait franchir le seuil de cette maison hantée très calmement du moment qu'il lisait d'abord et à haute voix, sur le pas de la porte, le numéro de la maison. Celui-ci comportait trois chiffres: 283. Il se tenait devant la maison et bravement criait le numéro puis il se tournait vers le haut et le bas de la rue pour le crier de nouveau.

A son réveil, Charles Kellner se souvint du chiffre très clairement. Aussi loin qu'il pouvait s'en souvenir, ce numéro, 283, n'avait aucune signification pour lui. Cela lui semblait tout juste une suite fortuite de trois chiffres que le sommeil avait placés ensemble dans son cerveau. Pourtant, ce 283 ne le quitta pas de la journée. Il s'en souvenait encore au moment où il alla acheter son billet, comme d'habitude, à la loterie du New Jersey. Cette loterie consiste à deviner un nombre de trois chiffres. Tous ceux dont les réponses sont partiellement exactes reçoivent un prix. Le gros lot revient à celui qui a trouvé les trois chiffres dans le bon ordre.

Charles Kellner misa sur le numéro 283.

— Je ne me fiais pas du tout à mon rêve, dit-il. Je ne suis absolument pas superstitieux et je ne crois pas qu'il existe des nombres porteurs de chance, mais lorsqu'on joue à ce genre de loterie une mise en vaut bien une autre. Il existe néanmoins un certain plaisir à parier sur des chiffres qui peuvent comporter une signification pour celui qui parie — même si c'est une signification un peu folle.

Le 283 fut effectivement le numéro gagnant. L'Etat du New Jersey remit donc à Charlie cinq cents dollars.

Quelques nuits plus tard, Kellner rêva de sa mère, morte quelques années auparavant. Le jour suivant, au moment d'acheter son billet de loterie, il se dit que ce serait sans doute amusant de parier le numéro qu'avait la vieille maison de sa mère. C'était le 539 et il lui rapporta un autre somme de cinq cents dollars.

Tout allait donc très bien. Et grâce aux rêves qu'il fit par la suite, il continua de gagner régulièrement à ce genre de loterie. "J'étais en train de mettre l'Etat en faillite, disait Charlie Kellner."

Mais, un jour, talent mystérieux, ce don de divination qu'il avait dans ses rêves, disparut tout aussi soudainement qu'il était arrivé. Depuis, Charlie n'a plus eu aucun rêve qui puisse lui être de quelque utilité.

— Je ne sais pas ce que c'était, peu importe! C'est terminé! dit-il sans amertume. A vrai dire, cela a même fini par se tourner contre moi. En effet, plusieurs mois plus tard, j'ai rêvé d'un immeuble où j'avais déjà travaillé. Le numéro de l'immeuble comportait trois chiffres. Je les voyais clairement dans mon rêve. J'ai donc parié dessus les jours suivants. Eh bien, je n'ai pas seulement perdu les cinquante sous que coûtait le billet mais j'ai découvert par la suite que je m'étais souvenu du mauvais numéro. Même si je m'étais souvenu du bon, j'aurais perdu quand même. C'est juste pour dire...

Il se tut et s'assit. Il semblait embarrassé.

— Eh bien! finit-il par dire, je ne sais vraiment pas ce que cela prouve.

QUATRIÈME PARTIE:

L'AJUSTEMENT À
LA CHANCE

Nous arrivons maintenant au coeur de la question. Jusqu'ici, nous avons erré dans un labyrinthe par d'étranges et tortueux chemins. Nous venons finalement d'arriver au centre. C'est ici qu'il faudra aborder le dernier mystère. Nous sommes prêts à nous poser la véritable question: comment modifier ou influencer notre propre chance?

Il existe, on l'a vu, plusieurs théories sur la chance et sur la façon de l'influencer. Chacune semble pleine de bon sens pour certains et, pour d'autres, dépourvue de toute signification. La théorie la moins hasardeuse, celle qui ressemble le plus à une science respectable, demeure quand même une simple théorie. Ses adeptes insistent souvent sur le fait que ce qu'ils disent est de toute évidence et de façon indiscutable absolument vrai. Pourtant, il n'existe aucun moyen de démontrer logiquement ces préceptes et ces principes... Toutes les théories se ressemblent. Aucune ne peut être vérifiée par qui que ce soit qui s'est mis en tête de croire en une autre.

J'ai, jusqu'ici, étudié quelques-unes de ces théories, les plus frappantes et les plus communes, sans forcer le lecteur à choisir entre elles. J'ai tenté de présenter chaque théorie sous son meilleur angle, en tenant compte bien sûr de l'espace dont je disposais. Dans chacun des cas, j'ai laissé la parole à plusieurs des plus ardents disciples de l'une ou de l'autre. Il y a cependant peu de chance pour que vos vues personnelles sur le sujet aient été radicalement modifiées depuis que vous avez commencé à lire mon livre. Ce n'était d'ailleurs pas mon propos. Je ne prétend pas favoriser une théorie aux dépens des autres. Ce texte vous a peut-être renforcé dans certains de vos préjugés. Peut-être vous a-t-il suggéré de nouvelles orientations. Cela n'a pas d'importance. Tout ce que vous voulez bien croire, eh bien, croyez-le! Tout ce que vous voulez approfondir, approfondissez-le. Ce n'est pas moi qui vais vous demander de changer d'opinion.

L'ajustement à la chance est une sorte de complément. Il ne vise à supplanter aucun des concepts que l'on peut avoir sur la chance elle-même. Cet ajustement à la chance peut vous être bénéfique, que vous croyez en la théorie du hasard, en certains présages mystiques ou en n'importe quoi. L'ajustement à la chance n'est pas une théorie. C'est une série d'observations.

Ces observations m'ont amené à me poser une question: que font donc ceux qui ont de la chance, que ne font pas ceux qui n'en ont pas? J'ai posé cette question à une infinité d'hommes et de femmes, ces vingt dernières années. Le nombre des gens que j'ai interrogés dépasse sûrement le millier. C'est donc un très bon échantillonnage. J'ai comparé mes propres observations avec celles de psychiatres, de joueurs, de spéculateurs et de tous ceux qui, en général, peuvent avoir quelque prétention de connaître le sujet ou, en tout cas, ont plus qu'une connaissance moyenne du sujet. Chacune des personnes interviewées a basé ses remarques sur ses propres observations et sur un certain échantillonnage spécialisé — dans le cas d'un psychiatre, par exemple, l'échantillonnage est constitué d'un certain nombre de patients qui ont défilé dans son bureau; dans le cas d'un joueur, cet échantillonnage comprend un grand nombre de joueurs, à la fois parmi les gagnants et parmi les perdants.

En fait, il existe cinq caractéristiques, cinq dominantes, qui distinguent celui qui a de la chance de celui qui n'en a pas. Ces caractéristiques semblent des constantes dans les aventures qui sont arrivées à ces hommes et à ces femmes qui réussissent à vivre en harmonie avec leur bonne fortune: attitude envers la vie et envers les autres, ajustement psychologique interne et une certaine manière de parler de soi-même. Ces caractéristiques ne se retrouvent pas du tout dans les histoires des personnes qui n'ont pas eu de chance. Voici donc le moment venu de traiter de ces cinq éléments qui permettent de vivre en accord avec la chance.

1. LA TOILE D'ARAIGNÉE

L'araignée tisse d'innombrables fils pour attraper les mouches. Elle se nourrit d'autant mieux que sa toile est grande. C'est à peu près de la même manière qu'il faut agir pour se donner le plus de chances possible d'avoir de la chance. En général, à quelques exceptions près, les hommes et les femmes les plus chanceux sont ceux-là même qui se sont arrangés pour se créer le plus grand réseau d'amis possible.

Examinons ce point plus en détail. Tâchons de voir comment fonctionne, dans la réalité, ce réseau qui ressemble à une toile d'araignée.

La chance prend souvent le visage de O. William Battalia. D'ailleurs, il en a fait un commerce. Et souvent, il prend beaucoup de plaisir à donner leur chance aux autres. Quand cela marche, cette chance qu'il apporte est toujours énorme. Elle bouleverse la vie. Battalia agit toujours à l'improviste. Il fonce sans avertir sur ceux qu'il a choisis pour leur donner une chance, comme une sorte de grand oiseau bienveillant qui tomberait du ciel. Je réfléchis souvent aux raisons pour lesquelles il a choisi telle ou telle personne et non telle autre qui, en soi, est pourtant tout aussi valable. Car ces raisons existent, peut-être cachées, mais elles font que certains ont de la chance et d'autres pas.

Will Battalia dirige une entreprise de placement ou, pour employer le vocabulaire du monde des affaires, il est un "chasseur de têtes" . Sa compagnie porte le nom de Battalia, Lotz et Associés. C'est une des plus connues de New York. Les grandes industries, les banques, les grosses corporations, les organismes parapublics sont ses principaux clients. Toutes ces entreprises sont très importantes. La plupart porte des noms prestigieux. Toutes sont riches et puissantes. Lorsqu'une de ces compagnies a besoin d'un cadre et qu'elle ne trouve pas de candidat valable au sein de son propre personnel, elle fait appel à Battalia. Elle lui fournit d'habitude une description détaillée du candidat idéal qu'elle voudrait recruter. "Nous cherchons un vice-président. Il sera chargé de résoudre, de prendre en charge tous nos problèmes de vente. Le candidat doit avoir entre quarante et cinquante ans. Il faut qu'il ait au moins dix ans d'expérience dans la direction d'un service de vente et qu'il soit lui-même un bon vendeur. Il doit déjà avoir été voyageur de commerce auprès des détaillants. Il doit être parfait bilingue et maîtriser l'espagnol aussi bien que l'anglais. Il doit avoir du charme et être capable de parler en public..."

Bref, cette compagnie est prête à offrir un pont d'or à un homme ou à une femme dont elle ignore encore le nom. Le salaire et les autres bénéfices dépassent habituellement trente-cinq mille dollars par an. Dans certains cas, ils vont même jusqu'à atteindre cent mille dollars. Battalia sait, évidemment, qu'il serait absurde de chercher quelqu'un qui gagne déjà à peu près le même salaire ou qui se sent bien dans sa fonction. Pour son futur candidat, le poste offert doit être une importante promotion — il faut que cette occasion qui semble venir de nulle part ressemble à un gros, à un colossal coup de chance.

— Au début, quand on commence à chercher, on se sent toujours un peu frustré, dit-il. On a toujours l'impression que des centaines de candidats éparpillés à travers tout le pays pourraient faire l'affaire, mais qu'il ne sera jamais possible d'en retracer qu'une infime minorité. En fait, c'est plus qu'une impression, c'est une certitude. Certaines personnes semblent vraiment vouloir se cacher.

Batallia cherche dans plusieurs directions à la fois. Il examine les listes de membres d'associations. Il lit les journaux professionnels, les revues de commerce, et tâche de retracer les gens qui auraient déjà écrit certains articles dans le secteur qui l'intéresse. Il participe à des congrès, aux réunions d'hommes d'affaires, aux séminaires universitaires. Il fait également un nombre impressionnant d'appels téléphoniques. Il envoie des formulaires un peu partout dans le pays. Tous portent la même question: "Connaissez-vous quelqu'un qui...?"

Les candidats qu'il a trouvés et qu'il a fini par faire embaucher par ses clients ont toujours été des personnes qui, d'une manière ou d'une autre, se sont présentées d'elles-mêmes, de façon tout à fait délibérée. Il existe, en effet, toute une catégorie d'êtres qui, sans relâche, font d'énormes efforts pour assurer leur propre publicité tout au long de leur carrière. Ils sont membres de toutes les associations professionnelles et de tous les clubs possibles. Ils écrivent régulièrement des articles pour certains journaux. Ils cherchent activement la possibilité de prononcer des conférences. Ils font tout ce qu'ils peuvent pour que personne n'oublie leur nom. Ces activités parfois frénétiques auxquelles se livrent certaines gens cachent le secret espoir de se faire solliciter par des employeurs susceptibles de leur offrir de plus gros salaires et de meilleurs emplois — par des gens qui ressemblent fort à Bill Battalia.

— Mais, parmi toutes les personnes que j'ai recrutées, dit Battalia, il n'y en a que très peu qui ont fait certains efforts pour m'aider à les rencontrer. La plupart n'avait même pas idée de ce qu'il faut faire pour qu'une agence de placement essaie de les approcher. Souvent, ce sont simplement des personnes qui agissent de telle sorte que beaucoup d'autres les connaissent. D'habitude, elles le font sans arrière-pensée. Cela correspond à leur manière d'être. Elles sont sociables. Elles s'efforcent d'être cordiales. Elles engagent la conversation avec des inconnus. Elles sont membres d'associations. Elles participent à des réunions. Elles sont ouvertes. Si elles voyagent en avion, elles se mettent à parler à leur voisin. Leur vendeur de journaux n'est pas un être anonyme. Elles connaissent son nom, elles savent combien il a d'enfants et où il passe ses vacances. C'est ce gendre de personnes que je suis capable de trouver.

Battalia et son ancien associé, James Lotz, avaient l'habitude de passer beaucoup de temps à analyser la série de circonstances qui les avait amenés à connaître tel ou tel candidat. Le plus souvent, ce n'était rien d'autre qu'une série de relations, de liens de connaissances qu'avait cette personne. Le cas de Catherine Andrews* l'illustre

---

* Il s'agit d'un pseudonyme

parfaitement. Catherine avait commencé sa carrière comme secrétaire. A moins de quarante ans, elle devint, grâce à l'intervention soudaine de Battalia et de Lotz, directrice du personnel dans une banque. Cette seule promotion suffit à doubler son salaire et lui permit également d'ouvrir considérablement ses horizons. Cela pourrait sembler un coup de chance aveugle. Cependant, à l'analyse, on s'aperçoit qu'elle a, sans même s'en rendre compte, contribué beaucoup à ce coup de chance.

Ce qui rend son histoire extrêmement intéressante, c'est qu'on peut la mettre en parallèle avec celle vécue par une de ses amies d'enfance, Evelyn Taylor*. Evelyn n'a pas eu de chance. Elle a toujours mené une vie assez triste. Les gens de l'agence de placement entendirent parler d'Evelyn simplement parce que Catherine Andrews en fit mention, un jour, pendant un déjeuner.

— J'ignore pourquoi la chance me poursuit ainsi, dit-elle. Pourquoi moi? Et non pas Evelyn, mon amie?

Beaucoup plus tard, la vie se chargea de répondre à la question de Catherine. Evelyn et elle avaient grandi ensemble dans la banlieue de Détroit. Au collège, elles étaient inséparables. Elles firent toutes leur études côte à côte. Elles se mirent à chercher un emploi en même temps. Vers la fin des années 50, les emplois accessibles aux femmes étaient assez restreints. Elles en vinrent toutes les deux à la conclusion que si elles voulaient travailler, il leur faudrait s'embaucher comme secrétaire. Une compagnie d'assurance les engagea l'une et l'autre. Elles travaillaient dans le même service, celui de la comptabilité.

En moins d'un an, leurs différences de caractère commencèrent à jouer sur leur carrière. Catherine était de loin la plus sociable. A l'heure du déjeuner à la cafétéria de la compagnie, elle parlait à tous ceux qui se trouvaient près d'elle: ceux qui faisaient la queue à ses côtés, ceux qui s'asseyaient à sa table, etc. C'était une grosse compagnie. Un très grand nombre d'employés ne se connaissaient pas. Catherine aimait parler aux inconnus et se découvrir les même centres d'intérêts et certains points communs. L'immense diversité de caractères des uns et des autres l'amusait et, en quelque sorte, dissipait l'ennui qu'elle éprouvait à faire son travail. Evelyn, par contre, ne s'intéressait pas aux inconnus, sauf s'ils étaient jeunes et beaux. Pendant que, à la cafétéria, Catherine se lançait dans de longues conversations très animées avec à peu près n'importe qui, Evelyn, assise à côté d'elle, parlait peu et semblait mourir d'ennui.

Catherine avait parfois eu l'occasion de discuter amicalement avec un autre employé, un monsieur plus âgé qui travaillait au service du personnel. Ce dernier avait appris deux choses sur Catherine, au fil de leurs conversation du midi: elle n'aimait pas le travail qu'elle faisait et, par ailleurs, elle avait des idées bien précises sur la façon d'accroître les possibilités d'avancement professionnel des femmes. Un jour, croisant Catherine dans un corridor, il s'arrêta, frappé par une idée soudaine: un poste venait d'être créé au service du personnel, lui dit-il. Si ce poste l'intéressait, il s'arrangerait pour la faire muter.

C'était essentiellement un travail de secrétariat mais avec d'intéressantes perspectives. La compagnie, à ce moment-là, avait de gros problèmes dus au taux de roulement très élevé de son personnel féminin. Il avait été décidé d'interviewer toutes les employées dans chacun des services pour découvrir la raison de leur mécontentement et pour déterminer comment rendre leur travail plus intéressant. Il entrait dans les responsabilités du titulaire de ce nouveau poste qu'on offrait à Catherine de mener à bien cette enquête.

Catherine accepta. Pour Evelyn qui travaillait toujours au service de la comptabilité, cela semblait un coup de chance inouï. Et ce le fut effectivement. "En fait, cet homme, je le connaissais à peine. C'est grâce à lui que j'ai eu de la chance", se disait Catherine quelques années plus tard. C'était effectivement de la chance mais Catherine s'était elle-même mise en situation de l'obtenir: elle s'était fait connaître de beaucoup de monde. Elle ne pouvait pas savoir d'avance qui, précisément, lui apporterait sa chance, ni quand, ni sous quelle forme. Mais, comme l'araignée, en élaborant un réseau de relations, une toile aux fils innombrables, elle avait statistiquement accru ses chances. Les faits l'ont prouvé.

Après deux ans, Catherine se libéra de ce qu'elle appelait "son piège à secrétaire". On lui assigna d'autres fonctions. Elle devint intervieweuse à plein temps. Elle avait à rencontrer les employés qui démissionnaient et ceux qui posaient leur candidature. Quelques années plus tard, selon le jeu régulier des promotions, elle devint assistante du directeur du personnel. Par choix et de par sa description de tâche, elle était chargée plus spécialement des problèmes du personnel féminin et des plans de carrière de ces employées.

Elle eut un jour une entrevue pénible avec une employée démissionnaire. C'était Evelyn. Evelyn avait trouvé un emploi un peu mieux rétribué mais restait toujours simple secrétaire. Aucun coup de chance ne lui était arrivé. Elle s'était mariée, puis avait divorcé. Encore aujourd'hui, elle travaille toujours comme secrétaire.

Au cours des années 60, Catherine fut sur le point de se marier à deux reprises. Chaque fois, elle finit par refuser à cause des conflits qu'elle pressentait entre sa carrière professionnelle et sa vie familiale. Au travail, elle continua d'avoir de la chance. Un jour, son téléphone se mit à sonner. Quelqu'un lui dit: "Mademoiselle Andrews? Je m'appelle Will Battalia..."

Comment était-il arrivé à la retracer? Et pourquoi elle? Cela demeure assez curieux.

Un de ses clients, une banque, cherchait un directeur du personnel et se disait prêt à payer la forte somme pour l'obtenir. Cette banque avait eu quelques aventures difficiles, pénibles et finalement fort onéreuses à cause des accusations de discrimination sexiste formulées par certaines employées. Battalia avait donc reçu pour directive de trouver un administrateur expérimenté qui, entre autres choses, connaîtrait parfaitement les droits de la femme au travail et qui aurait prouvé qu'il était capable de répondre aux exigences des femmes sans pour autant léser les employés masculins.

Une des informatrices de Battalia était professeur. Elle avait écrit de nombreux articles sur les problèmes des relations de travail. Battalia lui traça le profil du candidat qu'il voulait trouver. Le professeur d'abord eut l'air fort peu optimiste.

— La plus grande partie de mes relations, dit-elle, sont des universitaires, des gens comme moi. Je peux bien connaître de façon théorique les problèmes de travail à fond, mais pour ce qui est de les avoir vécus, et c'est ce que vous cherchez, n'est-ce pas?...

Le professeur se tut, puis s'écria soudain:

— Attendez donc un instant! La semaine dernière, j'ai parlé par hasard à une femme. C'était au cours d'un séminaire sur les relations de travail et ses problèmes. De nombreux participants provenaient de divers services du personnel de grosses compagnies privées. J'y ai rencontré une participante à l'emploi d'une firme de Détroit, je pense. Elle m'a parlé de certaines innovations très intéressantes qu'elle est en train de mettre au point. Si je pouvais seulement me rappeler son nom...

Elle s'en rappela. C'était Catherine Andrews. Elle avait participé au séminaire; c'était pour elle une forme de recyclage. Fidèle à elle-même, elle avait lié conversation avec tous ceux qu'elle avait rencontrés. Un soir, elle avait fait un bout de chemin sur le campus avec le professeur. Elle lui avait parlé du système d'entrevues informelles qu'elle avait organisé à l'heure des repas avec les employées, des séances de discussion entre employés des deux sexes, et d'autres innovations encore. Le professeur avait été impressionné en même temps qu'amusé et charmé par la chaleureuse cordialité de Catherine.

Pour Catherine, c'était juste un contact humain de plus — un autre, sans plus. Elle en faisait des centaines chaque année. Elle ne pouvait prévoir que cet obscur professeur d'université lui donnerait un formidable coup de chance. Si elle n'avait pas eu pour habitude de se forcer à dialoguer avec les autres, la chance ne lui aurait jamais tendu la main.

L'histoire authentique de Catherine Andrews est lourde de signification pour tous ceux qui espèrent tomber sur un filon extraordinaire par l'entremise d'un inconnu ou par l'ami d'un ami, ou simplement en liant connaissance avec quelqu'un que l'on ne connaît pas. Plus le réseau de contacts personnels est vaste, plus on met de chances de son côté. Il nous est impossible de prévoir quel formidable coup de chance, prompt comme l'éclair, la mécanique du destin est en train de préparer pour chacun de nous, peut-être même en ce moment. Il est impossible de savoir quelle filière complexe de relations humaines guidera ce coup du destin — dans telle ou telle direction. Ce qu'on peut savoir avec certitude, par contre, c'est que les probabilités pour chacun d'avoir un jour de la chance sont directement proportionnelles au nombre de gens qu'on connaît.

Cela semble évident. Pourtant, c'est loin d'être le cas pour plusieurs, plus nombreux qu'on ne le pense. Certains, même parmi ceux que la chance a favorisés, ne s'en rendent pas toujours compte eux-mêmes. Catherine Andrews est un cas typique. Ce n'est pas par calcul qu'elle adresse la parole à presque tout le monde. Ce n'est pas pour que cela lui porte bonheur. Elle aime le contact avec autrui pour le simple plaisir d'avoir des contacts. Elle trouve les gens agréables. C'est seulement en y repensant qu'elle s'est rendu compte que, pour elle, souvent, la chance s'est manifestée grâce à ses contacts personnels.

Kirk Douglas et Charlie Williams, dont il a été question au début de ce livre, étaient semblable, à cet égard. Aucun des deux n'a jamais réfléchi sur l'influence que peuvent avoir les relations humaines, la toile d'araignée, sur la chance ou sur la malchance (pour ceux qui n'ont pas réussi à tisser ce réseau autour d'eux). Le premier vrai coup de chance de Douglas, celui qui l'a sorti de l'ombre et qui l'a lancé dans une carrière spectaculaire, lui est arrivé parce qu'il connaissait, au moment où elle était inconnue, cette actrice qui s'appelait Lauren Bacall. Le jeune acteur était sociable. Il l'a simplement traitée amicalement, elle comme tant d'autres. En agissant de la sorte avec beaucoup de monde, Douglas augmentait ses propres chances. Le jour où Laureen Bacall a eu de la chance, elle en a fait profiter Douglas. Le vieux Charlie Williams, par contre, était un solitaire. Il n'avait que peu ou pas de connaissances. Il n'existait donc qu'une infime possibilité que la chance le favorisât un jour par l'entremise d'un autre homme ou d'une autre femme.

Le docteur Stephen Barrett, d'Allentown, en Pennsylvanie, est psychiatre. Ses études ont fortement contribué à faire connaître les différences entre les personnes qui ont de la chance et celles qui n'en ont pas. Selon ce médecin, les gens qui ont de la chance en général n'ont pas seulement certaines habitudes ou une forme de talent pour se faire de nouveaux contacts, mais ils possèdent aussi un certain magnétisme qui agit sur les autres et leur donne l'envie de communiquer. Le docteur Barrett appelle ce phénomène un "champ de communication". Ce champ de communication semble signifier pour les autres: "Venez donc me parler, nous trouverons la solution ensemble".

Le docteur Barrett compte au nombre de ses patients plusieurs étudiantes des niveaux secondaire et collégial. Pendant de nombreuses années, il s'est creusé les méninges pour essayer de comprendre le "phénomène de la jeune fille que les garçons n'invitent jamais". Ce phénomène est courant dans presque tous les groupes de jeunes. Peu, cependant, parviennent à l'expliquer. La jeune fille qu'on n'invite jamais peut être tout aussi intelligente et jolie que celle que l'on se dispute. Parfois, même, c'est elle la plus sympathique et la plus attirante sexuellement de tout le groupe. Le fait que l'on ne l'invite pas peut paraître une simple malchance — le bon garçon ne s'est pas encore présenté — ou encore peut être attribuable au fait qu'elle se tient avec un groupe de jeunes qui ne lui convient pas ou à une mère trop sévère.

— Mais ce qui arrive le plus souvent, dit le docteur Barrett, c'est que la vraie cause se situe au niveau de sa façon de communiquer. Elle effraie les garçons, les met mal à l'aise, et parfois, même sans le vouloir, les chasse. Sa façon de communiquer peut également éloigner les autres jeunes filles. La personne perd alors sur toute la ligne. Ce qui est, cependant, le plus déconcertant, c'est que la jeune fille souhaite les contacts et ne comprend pas pourquoi qu'elle n'est pas capable d'en avoir plus. J'ai vu très souvent ce genre de filles pleurer dans mon bureau.

De quoi donc se compose le magnétisme humain? Selon le docteur Barrett, il a des centaines de composantes: l'expression du visage, la position du corps, la tonalité de la voix, le choix du vocabulaire, la façon de regarder, de dresser la tête. Il est difficile d'analyser séparément chacun de ces éléments mais leur effet global sur les autres est très clair.

— Nous savons tous instinctivement si quelqu'un nous aime ou ne nous aime pas, dit le docteur Barrett. Nous savons si l'autre est un ami ou un ennemi, s'il est cordial ou s'il est froid. Vous pouvez rencontrer un parfait étranger et savoir en quelques secondes si cet inconnu souhaite ou non passer quelques minutes avec vous. En général, les gens que l'on considère chanceux — les gens qui s'arrangent pour que la chance leur arrive par l'intermédiaire des autres — sont des gens d'un abord facile et agréable.

Malgré certains essais récents d'analyse du "langage du corps" et les tentatives d'en faire une science exacte, il reste toujours impossible de contrefaire une communication. Peu importe la largeur du sourire ou le fait que les mots expriment l'affection, les gens découvrent vite la supercherie. Ils ne savent pas comment ils font pour la découvrir, mais ils sont sûrs de leur conclusion. C'est d'ailleurs la première chose que tout vendeur professionnel doit assimiler. Tom Watson Jr, fondateur de la compagnie I.B.M., est probablement l'un des plus brillants vendeurs que la terre ait jamais portés. Il répétait souvent cette petite phrase à ses nouveaux vendeurs: "Si vous n'aimez pas votre client, il y a peu de chance qu'il vous achète quelque chose." Certains vendeurs qui se pensaient rusés ou bons comédiens trouvaient cette opinion stupide et simpliste. Pourtant, tous les bons vendeurs savent que l'assertion de Watson est la pure et stricte vérité. Si vous n'aimez pas l'inconnu avec qui vous venez de lier contact, vous ne parviendrez jamais à le cacher, quelle que soit votre habileté, et vous n'irez pas loin comme vendeur.

Une des raisons pour lesquelles il est impossible de maquiller ce qu'on ressent, c'est que certains éléments du "processus de communication" échappent au contrôle conscient. La dilatation des pupilles, par exemple. Le docteur Eckhard Hess, psychologue à l'Université de Chicago, a étudié ce phénomène pendant de nombreuses années. Il a découvert qu'outre l'intensité de la lumière le fait que l'on aime ou non regarder certaines choses affecte la dilatation de la pupille. Quand on regarde quelque chose ou quelqu'un qu'on aime, les pupilles se dilatent. Quand on n'aime pas ce que l'on regarde, elles se contractent. Selon le docteur Hess, ces changements au niveau des pupilles sont extrêmement significatifs pour savoir ce que quelqu'un ressent et pour connaître sa façon de percevoir les autres. Les yeux sont, sans conteste, l'un des outils de communication parmi les plus importants. Quand on parle du regard, on emploie les termes "passionné", "brillant", "froid", "dur", etc. Le docteur Hess croit que les qualificatifs du genre proviennent pour une bonne part de l'état de dilatation des pupilles. Si vous parlez à quelqu'un et que vos pupilles se contractent, il vous jugera comme un être inamical même si vous souriez d'une oreille à l'autre.

Puisqu'on ne peut se promener toute la journée les pupilles dilatées et puisque d'autres éléments du processus de communication sont également très difficiles à maquiller, comment faire, dès lors, quand on éprouve le besoin d'améliorer son magnétisme personnel? Le docteur Barrett donne le conseil suivant: "Il est beaucoup plus facile de changer qu'on le pense généralement. Il n'est pas besoin de feindre ni de tromper personne."

Il cite l'exemple d'une jeune collégienne de vingt ans. Elle était venue le consulter parce qu'elle était déprimée. On ne l'invitait presque jamais et elle se sentait terriblement délaissée.

— Elle avait pourtant un très joli visage, dit le docteur Barrett. En voyant sa photographie dans l'annuaire du collège, vous vous seriez sans doute dit qu'elle devait avoir beaucoup de prétendants, beaucoup plus que n'importe quelle autre jeune fille. Mais ce n'était pas le cas. Elle se sentait vraiment très seule, comme étrangère, exclue du groupe.

Le docteur Barrett en vint à parler avec la jeune fille de ce qu'elle éprouvait vis-à-vis des autres. Ses sentiments, comme ceux de tout le monde, étaient extrêmement complexes. En psychiatre consciencieux, le docteur Barrett s'efforça de trouver l'explication. En fait, il lui apparut clairement que la jeune fille en question avait peur d'être rejetée. Elle avait peur que les autres ne l'aiment pas, ou ne la désirent pas. Elle ne voulait donc pas prendre le risque de se faire de nouveaux contacts, sauf en cas d'absolue nécessité. Sa peur d'être rejetée faisait en sorte qu'elle l'était vraiment. Tout ce qui émanait d'elle comme communication, semblait signifier: "S'il vous plaît, ne m'approchez pas. Je crains le contact parce que j'ai peur que vous ne m'aimiez pas. Ce serait donc bien mieux pour nous deux si vous gardiez vos distances."

Le docteur Barrett lui exposa ce qu'il considérait être une règle de base dans l'existence des humains: ils sont instinctivement prêts à s'aimer et à s'aider mutuellement. Il conseilla donc à la jeune fille de sortir de son quant-à-soi et de parler aux autres, même aux étrangers. Elle se rendrait ainsi vite compte que chacun veut aimer et être aimé.

— Il m'est impossible d'expliquer en détail tous les changements que j'ai perçus en elle par la suite. Cependant son processus de communication s'est très vite modifié, dit le docteur Barrett.

Une semaine après la consultation, cette jeune fille qui se sentait délaissée fut invitée à sortir à quatre reprises.

Le docteur John Kenneth Woodham, psychologue au New Jersey, est un de ceux qui se sont intéressés à ce qu'il appelle le "syndrome du solitaire". Il partage l'opinion que les coups de chance arrivent souvent grâce à d'autres personnes qu'on connaît. Un solitaire a donc moins de possibilité que les autres de devenir lui-même chanceux.

— Mise à part toute question de chance, dit-il, ce n'est souvent pas gai d'être solitaire. On entend parfois parler de "loups solitaires" soi-disant satisfaits de leur sort et de leur façon de vivre. Franchement, je n'en ai jamais rencontré un seul. Je ne crois pas que personne puisse aimer vraiment l'isolement. Je conseille aux personnes seules de sortir et de parler à d'autres, pas seulement à des gens qu'elles connaissent, mais *particulièrement* à des inconnus. Si les inconnus vous effraient, si vous avez peur qu'ils vous rejettent, le remède le plus rapide est de sortir et de prendre l'initiative des contacts. Remarquez que j'ai bien dit: "remède". Un psychologue n'utilise jamais ce terme à moins d'être sûr, très sûr de ce qu'il avance. Lorsque vous allez vers d'autres personnes, ils vous répondent toujours gentiment. Plus vous le faites souvent et plus vous êtes en mesure de l'apprécier.

Et plus vous l'appréciez, plus vos pupilles, probablement, se dilateront. Si vous estimez que votre réseau de connaissances, votre toile d'araignée, est trop petit, le docteur Woodham vous conseillerait de vous mettre à converser avec de parfaits étrangers choisis au hasard, de leur parler de n'importe quoi. Ce psychologue fait remarquer que la façon la plus rapide d'obtenir qu'un étranger vous sourie, c'est lui demander de vous aider, même s'il s'agit d'une aide toute petite. Demandez l'heure à quelqu'un, il ne se contente pas simplement de vous répondre. D'habitude, il ajoute quelques mots. "Il est près de dix heures dix. Je pense que j'ai l'heure juste. Ce matin, j'ai vérifié à la radio..." Cette information supplémentaire prouve que cet inconnu trouve agréable de converser avec vous. Les commerçants sont heureux de donner des conseils à leurs clients sur les produits qu'ils exposent. Le meilleur moyen de lier conversation à bord d'un avion, c'est peut-être de s'informer sur les bons hôtels à l'arrivée.

C'est ainsi que la toile d'araignée commence à grandir. La grande majorité des personnes nouvelles que l'on rencontre vous procure du plaisir. Elles vous poussent également à sortir de votre train-train habituel et solitaire, même si vous ne devez plus par la suite les revoir ou en entendre parler. Il se pourrait cependant que vous en revoyez certains, un jour, et qu'ils vous apportent de la chance.

L'un des patients du docteur Woodham était un de ces hommes solitaires. Il devait avoir une cinquantaine d'années et son épouse était morte. Ses enfants avaient grandi et étaient partis vivre ailleurs. Sa vie était extrêmement terne. Selon lui, rien ne parviendrait à la changer. Le docteur Woodham lui conseilla de faire un effort pour parler le plus souvent possible au plus grand nombre de gens possible. L'homme suivit ce conseil. Il se mit à bavarder régulièrement avec la propriétaire d'un tabac où il avait l'habitude d'acheter ses cigarettes. Il avait vu cette femme pendant de nombreuses années sans jamais lui adresser la parole. Le magasin se trouvait au coin de la rue où, chaque matin, il devait prendre l'autobus pour se rendre à son travail. Avant cela, il ne lui avait jamais rien dit, sauf "bonjour" et "merci". Il commença par des remarques, assez banales, sur la température. Encouragé par le ton amical des réponses, il prolongea petit à petit ces conversations. Au bout de quelques semaines, chacun connaissait le nom de l'autre, de même que quelques détails plus personnels. Un jour, il lui dit que collectionner des pièces de monnaie était son passe-temps favori.

Un bon matin, il s'arrêta comme d'habitude au tabac du coin où la propriétaire l'attendait avec impatience. Elle lui dit qu'une de ses amies, qui habitait tout près, avait un problème. Son père, en mourant, lui avait légué une vieille maison. Dans la cave, il y avait un bureau tout délabré. Et dans le bureau, elle avait découvert une boîte remplie de vieilles pièces de monnaie européennes. Elle n'avait aucune idée de leur valeur et ne savait pas du tout quoi en faire. "Je me suis souvenue que vous collectionniez les pièces de monnaie, dit la propriétaire du tabac. Il n'y a personne en ville qui puisse en évaluer la valeur, sauf vous, peut-être..."

Effectivement, cet homme était capable d'évaluer la collection et il le fit avec plaisir. La personne était une séduisante veuve du même âge que lui et tout aussi solitaire. Ils sont maintenant mariés.

De plus, la collection de pièces de monnaie valait très cher. Mais ce n'est pas tout. La chance, quand elle finit par arriver, souvent ne vient pas seule. Cet homme ne voulait pas garder les pièces car il ne collectionnait que la monnaie américaine. Sa femme les vendit donc. Le couple utilisa le profit de la vente pour passer quelque temps dans le nord du Michigan, région qu'ils aimaient tous les deux. Ils louèrent une petite maison au bord d'un lac et y passèrent un long mois comme de jeunes amoureux en lune de miel. Un peu après, l'homme acheta un billet de loterie du Michigan. C'était un billet gagnant. Il gagna vingt-cinq mille dollars.

2. L'ART DE L'INTUITION

Une intuition est quelque chose qui se passe dans le cerveau et qui ressemble fort à de la connaissance, mais à quoi on ne peut pas toujours vraiment se fier. Il y a des personnes, qui ont davantage confiance que d'autres en leurs intuitions, dont certaines sont ressenties avec une précision toute particulière. Il est évident que si quelqu'un pouvait avoir des intuitions très nettes, s'il était sûr de pouvoir s'y fier et s'il agissait ensuite en conséquence, ce serait un énorme pas de fait sur la route qui mène à la "chance". La race, si l'on peut dire, des gens qui ont de la chance possède cette faculté d'intuition à un très haut degré.

L'art de l'intuition semble mystérieux, mais il ne l'est pas toujours. Il peut s'expliquer en termes rationnels. Mieux encore, il existe des indices très clairs qui tendent à prouver que l'intuition peut s'acquérir.

Conrad Hilton, portier dans un hôtel, doit son énorme réussite à son extraordinaire intuition. Elle est tellement développée, que, par moments, elle semble relever de la magie. Lui-même a toujours fermement nié l'existence d'ondes paranormales qui lui auraient été favorables. Cependant, il admet que, parfois, son pouvoir semble dépasser sa simple raison.

— La plupart du temps, dit-il, je suis capable d'expliquer pourquoi j'ai fait ceci ou cela. Je peux retrouver ce qui m'a motivé à agir — pas toujours complètement mais assez, cependant, pour que mes actions prennent un tour moins étrange. Certaines fois, par ailleurs, je n'ai jamais trouvé la véritable explication.

Il essayait, une fois, d'acheter un vieil hôtel, à Chicago, que le propriétaire vendait au plus offrant. Toutes les offres devaient être déposées à date fixe. L'hôtel irait à celui qui proposerait la somme la plus élevée. Hilton offrit cent soixante-cinq mille dollars. Il alla se coucher, mais avec un vague sentiment de malaise. Il se réveilla le lendemain avec l'intuition que son offre était trop basse. "C'est vrai, je me sentais mal, dira-t-il plus tard en essayant de s'expliquer." Toujours est-il qu'il se conforma à son étrange pressentiment. Il fit une nouvelle offre, de cent quatre-vingt mille dollars cette fois et c'est à lui que l'hôtel fut adjugé. L'offre la plus élevée, après la sienne, était de cent soixante-dix-neuf mille huit cents dollars.

Dolorès N. est caissière dans une banque de Philadelphie. Elle approche de la trentaine. Elle est célibataire. Elle se considère bien comme elle est. Elle a failli se marier, il y a deux ans, mais elle en parle comme si elle avait échappé à une terrible catastrophe.

— Si je m'étais mariée, dit-elle, ç'aurait été un désastre. Après m'avoir quittée, mon fiancé s'est marié avec une autre femme. Aujourd'hui, il est en prison. Elle est criblée de dettes; en plus, elle essaie de prendre soin d'un jeune bébé et elle boit beaucoup trop. Elle est terriblement déprimée. Voilà, grâce à Dieu, à quoi j'ai échappé...

Il y a des hommes et des femmes qui semblent systématiquement n'avoir pas de chance en amour. Dolorès N. se considère, quant à elle, extrêmement chanceuse. Elle attribue ce fait à son intuition. "Certains appellent cela de l'intuition féminine, dit-elle. C'est stupide! Certains hommes ont de l'intuition. Certaines femmes n'en ont pas. Cet homme que j'ai failli épouser, ma soeur l'aimait, ma mère l'aimait, sans parler de cette pauvre fille qui a fini par se marier avec lui. Heureusement, en ce qui me concerne, il y a eu cet étrange pressentiment, venu de je ne sais où..."

L'homme en question, un certain Ted, était un beau parleur et un homme assez charmant. Une de ses collègues de la banque l'avait présenté à Dolorès lors d'une fête. Il prétendait travailler pour une agence de relations publiques. Après de brèves fréquentations, il lui demanda de l'épouser et elle accepta. Après le travail, ils passaient presque toutes leurs soirées ensemble. Ils se rencontraient d'habitude dans des restaurants situés près du bureau de l'un ou de l'autre. "Jusqu'à une semaine avant le mariage, j'étais follement amoureuse de lui, se rappelle Dolorès. Mais, un soir, j'ai eu comme un pressentiment. Je ne sais pas encore pourquoi ni comment. C'était un soir comme tous les autres. Nous nous disions ce que se disent tous les amoureux: des choses banales comme, aussi, des choses plus sérieuses. Nous faisions des projets d'avenir. Nous avions bu quelques verres de vin. Il se dirigea vers les toilettes. Assise seule à l'attendre à cette table, il me vint une vraiment drôle d'idée: *"Il y a quelque chose qui ne va pas! Quelque chose n'est pas vrai!"*

Son sens logique, son esprit cartésien, cette partie de son cerveau qui exigeait des faits tangibles pour agir méprisaient cette intuition de Dolorès. Pourtant le lendemain, elle était encore là. Pendant sa pause-café du matin, la jeune fille téléphona au bureau de Ted. Une voix de femme lui répondit: "Je regrette, mais il ne travaille plus ici."

L'intuition de Dolorès ne s'appuyait pourtant sur rien de concret. Néanmoins, les choses devenaient plus claires et plus précises. Cela signifiait: Ted traverse une situation financière difficile. L'épouser, c'est aussi épouser ses ennuis.

Elle décida d'annuler le mariage. La scène, bien sûr, fut pénible. D'autant plus pénible pour elle qu'elle ne pouvait expliquer à Ted pourquoi elle rompait. Elle avait confiance en son intuition. Elle ne changea pas d'avis et Ted disparut de sa vie.

Pendant qu'ils se courtisaient, elle avait eu l'occasion de rencontrer quelques-uns des amis et des connaissances de Ted. Par la suite, pendant plus d'un an, elle essaya de découvrir quel personnage il était réellement. Elle découvrit ainsi qu'il était un joueur invétéré. Il avait contracté d'énormes dettes auprès de tous les membres de sa famille, de ses amis, des banques et des prêteurs sur gage. On l'avait renvoyé de son emploi parce qu'il s'absentait régulièrement. Il disait au bureau qu'il allait voir des clients alors qu'en fait, il passait ses journées aux courses. Deux ans plus tard, Dolorès le perdit de vue. Il venait d'être condamné à une peine de prison pour avoir émis de faux chèques.

C.-C. Hazard* est un agent de change à la retraite. Il est assez riche. Lorsque des gens lui demandent comment le devenir eux aussi, en jouant à la Bourse, il les renvoie à son livre: *Confessions of a Wall Sheet Insider*. Ce livre, comme Hazard lui-même, a un caractère polémique et controversé. Wall Street ne l'a pas bien accueilli lorsqu'il fut publié, voici quelques années. Une de ses principales conclusions, c'est que, d'habitude, les petits investisseurs de troisième ordre — comme vous et moi — ont peu de chance de gagner des sommes importantes en recourant aux services d'experts, en étudiant les fluctuations statistiques, en se basant sur l'étude des cotes des divers portefeuilles, en se fiant aux prévisions économiques de Washington ou en essayant d'appliquer à la Bourse quelque forme de raisonnement logique que ce soit. Hazard soutient que le marché répond à des facteurs émotifs plutôt que rationnels. Par conséquent, on ne peut en prédire les mouvements à l'aide de techniques qui relèvent de la logique.

Alors comment prédire les mouvements de la Bourse? Quelquefois, dit Hazard, il faut agir par intuition. "Cela m'a pris un certain temps avant d'apprendre à avoir confiance en mes intuitions, me dit-il, une fois. Quand j'ai débuté à Wall Street, au début des années 50, je me fiais uniquement aux données rationnelles. J'étudiais de façon logique les différentes actions, etc. En fait, je n'obtenais pas de meilleurs résultats que si je m'étais simplement fié au jeu du pile ou

---

* Il s'agit d'un pseudonyme.

face. Très souvent, j'agissais contre mes propres intuitions. Je finissais toujours par le regretter. Quand les grands experts affirmaient que le marché était à la hausse, et ce, sans aucune raison logique, je misais comme eux, même si j'avais le pressentiment qu'ils étaient dans l'erreur. Quelquefois, ils l'étaient (pas toujours, mais assez souvent pour que je commence à en être surpris). Finalement, je me suis dit: au diable toutes ces techniques rationnelles, si elles ne sont pas plus efficaces que le simple pile ou face. Mes intuitions ne pourraient être pires. J'ai donc commencé à les suivre et, aujourd'hui, j'en suis très satisfait."

Vers la fin de 1968, Hazard a eu une grande intuition. Il n'est pas sûr du moment précis où elle a commencé à le tracasser mais il se souvient de la première fois où il en a vraiment pris conscience. C'était un vendredi soir, chez Dolmenico, un bar historique tout près de la Bourse de New York. La semaine avait été extrêmement active, la Bourse avait très bien marché. Le bar était bondé de courtiers, de spécialistes, d'experts, de spéculateurs et d'autres personnes. Quelques-unes étaient ivres. Tous parlaient très fort.

— J'étais en train de prendre un verre avec quelques amis, raconte Hazard. Ils me quittèrent parce qu'il avaient un rendez-vous. Cette semaine-là, ma femme partie sur la Côte ouest dans sa famille. Comme je n'avais pas envie de retourner à la maison, je m'étais assis au bar pour prendre un dernier verre. J'étais donc là au milieu de la foule, réfléchissant à mes affaires lorsque, tout à coup, un petit homme assis juste à mes côtés (je ne l'avais jamais vu auparavant et je ne l'ai d'ailleurs jamais plus revu) se tourna vers moi et me dit: "Bon Dieu! la Bourse a été extraordinaire aujourd'hui n'est-ce pas?" Il souriait d'une oreille à l'autre. Il semblait tellement heureux qu'il aurait fort bien pu grimper sur le comptoir pour y danser. J'avais toutes les raisons du monde d'être aussi content que lui. J'avais gagné tellement d'argent pendant les années 60 que c'en était immoral. 1968 paraissait la meilleure de toutes, pourtant j'étais incapable de partager la bonne humeur de mon voisin et, dans un sens — c'est peut-être un peu ridicule —, au lieu de me réjouir de ce qu'il disait, il me cassait les oreilles avec tout son bavardage. En fait, ce type *m'effrayait*.

Hazard n'est pas capable de préciser pourquoi il eut soudain si peur. "Il y avait peut-être, pense-t-il, quelque chose d'hystérique dans le visage de ce petit homme ou dans sa voix et dans ses gestes. Peu importe ce que c'était exactement, mais cela renforça l'intuition qui me harcelait depuis quelques semaines. Lorsque je regardais autour de moi toutes les autres personnes attablées près du bar et que je les écoutais parler, je sentais que cette même frayeur flottait dans l'air. Je ne puis décrire mon impression qu'à partir d'un souvenir: quand mes enfants étaient jeunes, nous construisions des gratte-ciel avec des cubes. Nous faisions des concours. Nous bâtissions le gratte-ciel en rajoutant chacun notre tour, un cube à la fois. Plus le gratte-ciel s'élevait, plus il devenait fragile. Le perdant était celui qui le faisait tomber en posant son cube. Mon pressentiment chez Dolmenico ressemblait assez à ce que j'éprouvais en rajoutant un cube au sommet de la tour. Plus elle était haute, plus c'était excitant; mais c'était aussi plus effrayant. C'était cela mon pressentiment, en 1968. J'avais l'intuition que nous allions vivre bientôt des moments terribles. Cela flottait dans l'air..."

Très peu d'analystes, qui se basaient sur la logique, formulèrent des prédictions aussi pessimistes à la fin de 1968. Hazard, pourtant, vendit presque toutes ses actions. Le marché commença à baisser quelque temps après. Vers le milieu de 1970, la plupart des actions de Hazard valaient déjà moins que la moitié du prix normal. Certaines ne sont jamais parvenues à regrimper la côte.

Mais d'où donc peut provenir une intuition aussi exacte? De nombreux psychologues, ainsi que certaines autres personnes qui font autorité en la matière, pensent qu'il est impossible d'expliquer l'intuition sans recourir aux facteurs parapsychologiques ou à l'occultisme. En gros, leur théorie est la suivante:

Un pressentiment est une conclusion basée sur des données précises — sur des faits précis, rigoureusement observés, efficacement mémorisés et logiquement analysés par l'esprit. Les faits sur lesquels s'appuie le pressentiment sont des *faits dont il est impossible d'avoir consciemment connaissance.* Ils sont stockés et analysés quelque part dans le cerveau, juste au-dessous du seuil de la pensée consciente. C'est pourquoi tout pressentiment s'accompagne de cette étrange sensation que l'on sait, mais que l'on ne sait pas tout. On pense savoir quelque chose, mais on ne sait pas comment il se fait qu'on le sache.

Le docteur Eugène Gendlin est un psychologue de New York. Il est parmi les plus sérieux spécialistes de cette intéressante question. Maigre, les cheveux noirs, le docteur Gendlin, qui est d'ascendance russe, a passé une bonne partie de sa vie professionnelle à étudier les frontières très floues entre la pensée consciente et la pensée inconsciente. Sa recherche lui a permis de mettre au point une approche thérapeutique tout à fait nouvelle. En espérant qu'il ne m'en voudra pas trop de donner ici une description aussi sommaire de son travail, je dirai qu'il enseigne pratiquement à ses patients à "pressentir" leur conduite à travers leurs problèmes. Il a développé certaines techniques qui permettent de fouiller délibérément cette espèce de casier mental rempli de dossiers oubliés, cet endroit d'où proviennent toutes les intuitions. Selon le docteur Gendlin, cette technique est à la portée de n'importe qui. Dans un livre qu'il vient d'écrire sur sa méthode il affirme que les thérapeutes ne sont pas nécessaires du tout, sauf peut-être pour les malades les plus sérieusement atteints. Dès qu'on est capable de se "concentrer" — c'est l'expression qu'il utilise pour le processus d'introspection —, chacun peut devenir son propre thérapeute à tout jamais.

Il est sûr qu'une bonne définition de la chance pourrait être la suivante: on peut considérer qu'on a de la chance si les troubles émotionnels que l'on éprouve n'ont jamais été assez graves pour nécessiter le recours à la psychiatrie. La véritable chance, c'est de pouvoir mener une vie tranquille avec, de temps en temps, des moments plus radieux que d'autres. Selon le docteur Gendlin, les gens qui ont de la chance sont, en un sens, des gens qui ont découvert de façon intuitive comment ramener au niveau conscient ce qui dort en eux. Les gens qui ont des intuitions concernant les fluctuations de la Bourse ne l'intéressent pas particulièrement. Ceux qui l'intéressent sont les personnes capables d'une intuition suffisante pour pouvoir "se diriger" à travers la vie et ses problèmes et qui ont, en toute logique, choisi la route qui leur va le mieux. La technique mise au point par le docteur Gendlin a pour but de procurer la sérénité et non la fortune. Dans le cadre de mon étude sur la chance, toutefois, il n'est pas nécessaire de faire semblable distinction. Une intuition est une intuition. Si vous parvenez à apprendre comment avoir des intuitions efficaces, vous voudrez sans doute utiliser cet art dans le domaine qui vous importe à vous, personnellement.

Quand il explique son point de vue, le docteur Gendlin commence par faire remarquer que chaque homme reçoit chaque jour plus d'informations qu'il ne peut en emmagasiner dans sa conscience. Pensez, par exemple, à n'importe quel homme ou à n'importe quelle femme qui a joué un rôle dans votre vie. Vous avez sur cet être des milliers, peut-être des millions d'informations. Il vous faudrait des années pour toutes les classer si vous pouviez ressortir chacune d'elles de votre mémoire. Il faudrait inclure tous les renseignements sur l'aspect physique, sur la voix, les gestes, les habitudes, les attitudes, les façons de penser, les émotions, le travail, le jeu, les habitudes alimentaires, la façon de se vêtir, la voiture de cette personne. Pour que le tableau soit complet, il faudrait également noter toute une série d'informations sur les interactions entre cette personne et vous-même: toutes les fois où vous avez été heureux ensemble, irrités, où vous avez souffert, où vous avez été effrayés. En fait, cette liste serait sans fin parce que de nouvelles données viendraient s'ajouter pour chacun des jours, chacune des fois où vous avez été en contact avec la personne en question. En dépit de l'immense ampleur de ces informations, tout cela cependant, est emmagasiné quelque part dans votre cerveau et vous est instantanément accessible. Si, par exemple, vous détourniez le regard de cette page et vous mettiez à penser à un homme ou à une femme, il (ou elle) apparaîtrait instantanément devant vos yeux, dans toute son *unicité*. Toutes les données y seront: tout ce qui signifie que "Jos" ou "Marie" est vraiment "Jos" ou "Marie".

D'où vous sont venues toutes ces informations? Evidemment pas de votre niveau d'esprit conscient — non plus que de cette partie logique, raisonnante, de votre cerveau qui additionne toutes les données l'une après l'autre. Lorsque vous croisez cet ami dans la rue, vous le reconnaissez instantanément. De plus, vous sentez immédiatement une réaction émotionnelle pertinente, en égard à cette personne et à toutes les circonstances passées et présentes. Ce processus d'identification et de réaction extrêmement rapide a lieu de lui-même, sans que vous ayez à faire aucun effort intellectuel. Il y a là trop d'informations différentes pour que vous puissiez les rationaliser de façon consciente. Ce processus dépasse presque entièrement votre pensée consciente. L'exemple prouve qu'il est tout à fait possible de connaître certaines choses sans être cependant parfaitement capable de les expliquer — sans être capable d'énumérer toutes les parcelles d'information qui font que l'on comprend effectivement. Si je vous demandais comment vous faites pour reconnaître un ami dans la rue! Etudiez-vous la forme de son nez? Sa démarche? Son grain de beauté sur la joue? Ses vêtements frippés? Vous pourriez répondre tout cela, et bien d'autre choses encore — sans oublier que tous ces éléments se combinent et vous donnent une image presque instantanée. Vous ignorez véritablement quelles sont les informations qui vous sont utiles et comment vous les assemblez. Si cependant, à cause de cela, je vous disais que vous n'êtes pas capable de reconnaître un ami dans la rue — que vos données factuelles sont trop fragiles —, vous me ririez au nez. Votre esprit ne met pas une seconde en doute, lorsque vous rencontrez votre ami, le fait que vous l'avez effectivement reconnu. Sans savoir comment, vous *savez*.

Passons à un autre exemple. Un ami vous téléphone. Il n'a pas besoin de dire son nom. Il vous suffit de quelques mots pour reconnaître sa voix. Comment? Essayez donc de me décrire cette voix afin que je puisse, moi aussi, la reconnaître? Vous allez vous rendre compte que c'est pratiquement impossible. La compagnie de téléphone de New York a essayé une fois de déterminer comment il se fait que l'on reconnaît les différentes voix au téléphone. Elle a dû abandonner sa recherche. Le processus d'identification ne dépend pas de données accessibles à la pensée consciente. Pourtant, malgré ce peu de données fiables, aucun doute ne vous assaille lorsqu'au téléphone, vous entendez la voix d'un ami. Vous *savez* qui c'est.

De fait, cette forme de connaissance est une sorte d'intuition. Vous savez, mais vous ne savez pas comment il se fait que vous sachiez.

Une intuition est le résultat d'un ensemble d'informations que l'on a du mal à faire sortir de son inconscient — ce sont des faits que l'on ne peut classer, identifier, dont on ne peut se servir pour démontrer la pertinence de son raisonnement, pas même à soi-même. Si l'intuition est bonne, les données factuelles doivent exister. Elles sont emmagasinées quelque part. Bien sûr, il est frustrant de ne pouvoir ni les appréhender ni les examiner avec attention. Ce seul fait ne devrait cependant pas suffire pour qu'on renonce aux pouvoirs de l'intuition ou pour qu'on néglige son utilité. Il y a moyen de conduire une voiture sans nécessairement avoir besoin de savoir comment le moteur est assemblé.

Examinée sous cet angle — c'est-à-dire comme résultat de données objectives non conscientes —, l'intuition devient beaucoup moins mystérieuse. L'intuition de Conrad Hilton, par exemple, à propos de son offre d'achat, a sans doute émergé de l'infinité de données accumulées dans tous les recoins de son esprit. Il a passé toute sa vie adulte dans le monde des affaires, et particulièrement dans l'hôtellerie. Il a acheté son premier hôtel au Texas quand il était encore un jeune homme. Depuis, il a accumulé d'innombrables connaissances, stocké des milliers d'informations, beaucoup plus que sa pensée consciente ne pouvait en assimiler. De plus, en faisant cette offre pour l'hôtel de Chicago, il devait certainement bien connaître le vendeur et bien connaître les enchères. Il connaissait tout cela sans être capable de l'articuler ni de le baser sur des données concrètes. Sa pensée consciente étudia certains faits et c'est sur la base de ces faits-là qu'il fit son offre. Mais, en même temps, son inconscient fouillait dans l'énorme entrepôt des données oubliées et concluait que l'offre était trop basse. Hilton fit confiance à son intuition. Elle s'avéra parfaitement exacte.

Le pressentiment de Dolorès au sujet de Ted doit avoir eu la même origine. Il a dû se fonder sur certains détails effectivement observés, mais que son cerveau conscient considérait comme banals: certaines paroles de Ted, peut-être, certaines manies ou cette façon de détourner les yeux quand elle lui posait certaines questions. Ces détails, écartés parce que le cerveau conscient les jugeait de peu d'importance, étaient sans doute négligés. L'inconscient, lui, ne les oubliait pas. Ils passaient du niveau de perception consciente à un autre niveau. L'inconscient les transformait, les examinait et les ajoutait à d'autres faits avec, comme résultat final, cette petite voix qui lui chuchotait: "Il y a quelque chose de faux là-dedans."

En ce qui concerne C-C. Hazard, comme tous les bons vendeurs, il possède un caractère sociable. Il passe ses jours à discuter avec les gens, à les écouter, à les observer. Chaque jour, il établit de nouveaux contacts avec un grand nombre de personnes. Il en rencontre des milliers, chaque année. Sa conscience ne peut retenir toutes les informations personnelles qu'elle capte mais son inconscient en est capable. C'est lui qui emmagasine, classe, comptabilise toutes ces informations qui deviennent peu à peu une seule impression cumulative. Et, finalement, comme en 1968, l'insconscient produit ce qu'on appelle une intuition: "C'était dans l'air... Nous allions vivre des années terribles..."

On a l'habitude de prétendre que cette façon de traiter les données factuelles est, le plus souvent, le propre des femmes. D'ailleurs, on parle d'"intuition féminine". Il y a quelques années, le magazine *Vogue* a organisé un symposium sur le sujet et a invité un certain nombre de psychiatres et de personnalités pour en traiter. Ceux-ci en sont venus à la conclusion que ce don qu'est l'intuition n'est pas propre à un sexe ou à l'autre. Jusqu'à tout récemment, les femmes étaient plus intuitives parce que la société est ainsi faite. Les hommes se glorifient eux-mêmes de ce qu'ils considèrent comme une supériorité: leur nature raisonnable. En corollaire, ils négligent l'importance des sentiments. Ils pensent que tout ce qui relève des émotions, du mysticisme, toutes les choses vagues, est surtout féminin. Au mieux, ils pensent que ce n'est pas vraiment masculin. Les femmes qui, pour la plupart, n'avaient pas la chance de faire valoir leurs idées dans les sociétés traditionnelles (et qu'on ridiculisait souvent d'ailleurs lorsqu'elles tentaient de le faire) ont senti le besoin de montrer qu'en certains domaines elles étaient supérieures. Un de ces domaines est ce qu'on appelle l'"intuition féminine".

Elle: "Un tel et une telle se sont disputés."

Lui: "Comment le sais-tu?"

Elle: "Je ne sais pas."

Lui: "C'est idiot. Tu n'en as aucune preuve..."

Chaque être agissait donc en fonction de ce qui lui semblait caractéristique de son sexe. L'homme exigeait des faits précis parce que c'était une attitude considérée comme masculine. La femme, plus intuitive, préservait son "mystère" et s'estimait en cela supérieure à l'homme. Les deux sexes s'accordaient sur le fait que l'intuition était féminine parce qu'ils en tiraient tous les deux profit. Certains vieux partisans de ce genre de différence entre les sexes sont toujours vivants. Il semble assez improbable, toutefois, qu'ils continuent de vivre encore bien longtemps.

La discrimination entre les sexes fit en sorte que beaucoup de femmes développèrent leur intuition et apprirent à s'en accomoder, alors que les hommes, le plus souvent, ne s'en préoccupaient pas. Pourtant, quelques-uns, parmi les plus intelligents, rejetaient cette idée de tradition masculine. Ceux-là admettaient franchement que leur intuition était un atout important qui leur permettait de faire fructifier les capitaux énormes qu'ils avaient investis. Conrad Hilton est de ceux-là. Il en va de même pour Alfred P. Sloan, l'un des présidents les plus brillants de la General Motors. Quand on demandait à Sloan comment il faisait pour réunir toutes les informations nécessaires en vue de prendre des décisions sur des questions aussi importantes que l'emplacement d'une nouvelle usine, par exemple, ou le nombre de voitures à construire, ou encore le budget publicitaire, ce dernier répondait franchement qu'il n'espérait pas réunir toutes les données pertinentes et qu'il ne l'avait d'ailleurs jamais essayé. "Ce qui, finalement, préside à une décision, en affaires, disait-il, c'est l'intuition."

Cette phrase de Sloan s'applique aussi à la plupart des décisions que les hommes ont à prendre dans leur vie quotidienne. Qu'on le veuille ou non, la vie requiert de chacun de nous des décisions constantes pour nous orienter à travers les aléas de notre vie de tous les jours. Faut-il accepter cet emploi? Est-ce que cet agent immobilier me dit la vérité lorsqu'il prétend que la cave n'est pas humide? Cette femme sera-t-elle fâchée si je...? Avons-nous toujours suffisamment de faits? Il est très rare, dans la réalité, de pouvoir prétendre fonder chacune de ses décisions sur des déductions rationnelles. A l'exception de Sherlock Holmes qui pouvait toujours fournir une magnifique explication parfaitement logique à chacune de ses conclusions, nous autres, penseurs ordinaires, posons très souvent des actes que nous sommes incapables d'expliquer. "J'ai acheté la maison parce que... Eh bien! Elle me paraissait pas mal!" Les gens qui ont de la chance s'avèrent généralement des gens dont les intuitions majeures ou mineures se révèlent exactes. Celui qui a de la chance n'achète jamais une maison dont la cave est humide. Celui qui a de la chance, s'il achète une voiture d'occasion, n'achète jamais un "citron." Il n'achète jamais d'actions en Bourse juste avant que la valeur de celles-ci ne commence à dégringoler. S'il se présente au comptoir des billets à l'aéroport, il est toujours dans la file qui avance le plus rapidement. La vie familiale, sociale, sexuelle et économique des gens qui ont de la chance est toujours sereine.

Si vous voulez être chanceux, il faudra que vous développiez ce don qu'est l'intuition. Il faudra que vous en fassiez un élément essentiel de votre système. Comment développer l'intuition? Il y a trois principales règles à suivre.

Première règle
Apprendre à déterminer les données factuelles de base

Une intuition se présente toujours de façon soudaine: on a presque toujours la très forte impression que ceci ou cela est exact. Comment savoir s'il faut s'y fier?

C.-C. Hazard fournit un élément de réponse: "Je me demande quelle est la valeur de l'information de base sous-jacente. Evidemment, je ne sais pas sur quelle donnée se fonde mon intuition. Je n'ai aucun espoir de le savoir. Ce que je *peux faire,* c'est de me demander si ces faits sont réalistes. Est-il concevable que j'aie recueilli un ensemble d'informations sur telle ou telle situation sans m'en rendre compte? Ai-je déjà vécu quelque chose, une situation, qui m'aurait permis d'être informé de tels faits? Est-il raisonnable, même si je ne peux m'en souvenir, de croire que ces données existent effectivement? Si la réponse est positive et si l'intuition me semble forte, j'ai toujours tendance à m'y conformer."

J'ai déjà, dans ce livre, mentionné le cas de gens qui avaient des pressentiments au sujet des numéros gagnants de loterie ou de machines à sous, et qui, effectivement, gagnaient. Pour Hazard, cela ne présente pas d'intérêt. Lui-même ne se serait jamais fié à ce genre d'intuition. Une intuition de cet ordre ne repose sur aucune donnée réelle venant de l'individu lui-même. Il *n'existe pas* de données factuelles sur l'issue du prochain tirage d'une loterie ou sur la façon dont l'engrenage des roues d'une machine à sous fonctionnera la fois suivante. Toute intuition de ce type, par conséquent, devrait être écartée parce qu'elle est douteuse.

Pour prendre un exemple à propos de cette chère "Wall Street" qu'affectionne tant Hazard, on pourrait raconter ce qui est arrivé à Gesse Livermore. Livermore était un spéculateur fameux et très prospère du début du siècle. Il avait la réputation d'avoir de mystérieuses intuitions. Lui-même, disait-il, ne pouvait les expliquer. Il ne tenta d'ailleurs jamais de le faire. Sa plus grosse intuition lui vint un jour de printemps, en 1906. Sans savoir pourquoi, il fut soudain convaincu que les actions de la Union Pacific étaient sur le point de dégringoler. Il se rendit donc chez un courtier et vendit des milliers d'actions ordinaires (pour ceux qui ne sont pas familiers avec le jargon de Wall Street, il suffit de préciser que la vente d'actions ordinaires est une opération assez risquée qui permet parfois de gagner de scandaleuses sommes d'argent, mais aussi, à l'inverse, de subir une déconfiture rapide si les prix grimpent).

Selon certaines interprétations actuelles, Livermore semblait ennuyé de ce qu'il avait fait ce jour-là. Et ce fut peut-être le cas. Les cotes grimpaient à toute allure. Les actions de la Union Pacific étaient parmi les mieux cotées. Il n'y avait aucune raison de vendre rapidement. Le lendemain, semblant toujours très ennuyé, Livermore retourna chez le courtier et vendit plus d'un millier d'autres actions.

Le jour suivant, soit le 18 avril, un terrible tremblement de terre ébranlait San Francisco. Tous les avoirs de la Union Pacific, matériels et autres, étaient ensevelis sous les décombres. Le prix des actions tomba en flèche. Gesse Livermore s'enrichit d'environ trois cent mille dollars.

La leçon de cette expérience, c'est que son intuition était bonne — mais cela ne signifie pas qu'il soit très sage de miser tout son argent sur une simple intuition. Rien ne lui permettait de croire qu'il y aurait un tremblement de terre le lendemain. La prémonition n'avait aucun fondement factuel. Pour risquer ainsi la faillite sur une simple intuition, il faut sans doute être un peu fou.

Effectivement, Livermore avait déjà fait faillite auparavant. Sa vie fut très mouvementée. Ses intuitions n'étaient pas toujours bonnes, surtout vers la fin de sa vie. Il perdit une fortune à la fin des années 1930. Un après-midi, juste avant Noël, en 1940, il était dans un hôtel de New York, peut-être en train de repenser à toute sa chance perdue. Il but quelques verres, se rendit à la salle de bain et se tira une balle dans la tête.

En dernière analyse, il faut peut-être considérer que ses pressentiments étaient plutôt douteux — même ceux qui l'ont effectivement servi. Ils étaient douteux parce qu'au contraire des intuitions dont nous avons déjà parlées, les siennes n'étaient pas basées sur des faits objectifs ou sur des données logiques. Ce n'étaient pas des intuitions "rationnelles". Evidemment, si vous croyez en certaines forces parapsychologiques ou occultes, vous allez me dire que les intuitions rationnelles ne sont pas les seules valides. Les intuitions du genre de celles qu'avait Gesse Livermore pourraient s'appeler "paranormales". Celui qui a confiance en ces phénomènes paranormaux doit sans doute se dire que l'intuition de Livermore à propos de la Union Pacific était magnifique et l'attribuer à une cause supérieure qui se situe quelque part, au-delà de l'objectivité des faits ou de la raison. Il est évidemment indiscutable que cette intuition qu'eut Livermore lui fut vraiment bénéfique.

Prendre position pour ou contre les phénomènes paranormaux dépasse le cadre de ce livre. Si vous croyez en de telles forces, elles peuvent sans doute vous aider. Si vous n'y croyez pas, elles ne le pourront pas. N'importe qui, par contre, peut se servir de ses intuitions rationnelles. Je reviendrai sur toute cette question des phénomènes paranormaux un peu plus tard. Pour le moment, je voudrais poursuivre l'examen des intuitions rationnelles et du problème de l'évaluation des données factuelles sur laquelle elles s'appuient. Le docteur Nathalie Shainess, psychiatre de New York, a étudié les différences entre les gens qui ont de la chance et ceux qui n'en ont pas. Pour elle, une intuition est finalement aussi bonne que la somme des expériences passées qui aide à la produire. "Fiez-vous à une intuition dans la mesure où vous avez déjà eu à vivre le genre de situation avec laquelle elle a quelque rapport. J'ai souvent agi de façon intuitive en soignant mes patients. J'ai le pressentiment de ce qui peut marcher et de ce qui s'avérera inefficace. Je fais confiance à mes pressentiments. J'ai en effet une longue expérience dans ce domaine. Pour moi, ce sont de véritables perceptions qui se situent à un niveau inconscient. Mais si j'avais une intuition dans un domaine qui ne m'est pas familier, par exemple une intuition qui me conseillerait d'investir dans les fèves de soja — je ne m'y fierais pas. Car cette intuition-là ne se fonderait sur aucune perception réelle''.

Quand il vous arrive une intuition, demandez-vous toujours quelles sont les données factuelles qui la sous-tendent. Essayez de savoir si vous avez pu, un jour, recevoir effectivement certaines informations sur la situation. C'est la première règle à appliquer dans le cas d'intuition. Il en découle un certain nombre de corollaires:

Corollaire 1. Ne jamais se fier à un pressentiment
à propos de quelqu'un que l'on vient de rencontrer

Les gens qui n'ont pas de chance ont tendance à se fier à leurs premières impressions. Par contre, ceux qui en ont préfèrent y regarder à deux fois.

Si vous venez de rencontrer quelqu'un une demi-heure plus tôt et si, déjà, vous avez quelques pressentiments quant à son honnêteté, sa bienveillance, son intelligence ou tout autre trait de son caractère, oubliez tout cela. Vous n'avez probablement pas eu le temps d'accumuler assez de faits réels. L'amour ou le coup de foudre est, bien sûr, une chose plaisante à première vue, mais extrêmement hasardeuse. Il vaut mieux y regarder à deux et même à trois fois. Quand l'avenir n'est pas conforme à ce qu'on s'imaginait, cela peut être parfois très pénible.

Ne vous confiez ni ne donnez jamais votre argent à quelqu'un sur la foi des premières impressions. Supposons que vous veuillez acheter une voiture. De nombreuses marques et de nombreux modèles vous attirent. Votre souci premier porte sur la qualité et la rapidité du service après-vente. Si votre nouvelle voiture ne marche pas bien, serez-vous bien traité? Un vendeur vous impressionne parce qu'il semble franc, honnête, disponible, parce qu'il veut faire le maximum pour vous satisfaire. Pouvez-vous vraiment vous fier à cette impression?

Absolument pas. Si l'homme est un bon vendeur, c'est également un bon comédien. Il sait comment procéder pour faire bonne impression. Demandez-vous sur quels faits réels vos impressions peuvent se fonder. Peut-être vos impressions n'ont-elles rien à voir avec la situation. Le visage du vendeur vous rappelle peut-être celui de quelqu'un que vous avez connu et aimé jadis.

Mettez votre carnet de chèques de côté pendant quelques jours. Retournez voir le vendeur. Parlez-lui encore. Attrapez-le quand il ne s'y attend pas. Imprégnez-vous de l'ambiance de son garage. Ecoutez-le lorsqu'il parle à d'autres. Rien de tout cela, bien sûr, ne garantit que vous allez acheter la meilleure voiture possible chez le meilleurs distributeur possible mais, au moins, cette façon de procéder augmente énormément vos chances de faire un bon choix. En vous y reprenant à deux ou trois fois, il se pourrait que vous sentiez un doute s'insinuer dans votre esprit. Si c'est le cas, faites affaire avec quelqu'un d'autre.

Corollaire 2. Ne jamais refuser un travail
sous prétexte qu'on a eu un mauvais pressentiment

D'abord tâchez de découvrir le plus de choses possible sur ce poste qu'on vous offre et qu'il vous faudra accepter ou décliner. Investissez-y beaucoup d'efforts. Essayez d'en trouver toutes les données. Tâchez, dans la mesure du possible, de prendre une décision basée sur l'expérience. Si c'est impossible, alors seulement fiez-vous à votre intuition — mais alors seulement.

Souvenez-vous de la remarque d'Alfred P. Sloan: "Ce qui finalement préside à une décision..." Ce mot "finalement" est très important. Si l'intuition, finalement, préside aux diverses décisions, il faut néanmoins poser certains actes très concrets avant d'agir selon ses seuls sentiments.

Le désir d'éviter le travail — qui peut avoir plusieurs causes, dont la simple et pure paresse — engendre souvent de très mauvaises intuitions. Celles-ci sont dépourvues du moindre fondement positif. En fait, ce ne sont pas de véritables intuitions. Ce sont tout juste des rêveries.

Un psychiatre de l'Université de Californie, le docteur William Boyd, a insisté sur ce point. Ce médecin a déjà donné un cours intitulé: "Le jeu, le risque et l'investissement spéculatif". Tous les phénomènes liés à l'intuition fascinent le docteur Boyd qui les a étudiés, surtout dans le cas des joueurs invétérés qui se servent presque toujours de leurs talents intuitifs de façon fort sérieuse — et qui, évidemment, perdent aussi presque toujours.

Il existe de nombreuses théories sur les émotions et les soucis des joueurs professionnels, sur ceux à qui arrivent toutes sortes d'accidents et sur toutes les personnes chroniquement malchanceuses. L'une d'elle est très largement répandue — on peut l'entendre répéter dans presque tous les cocktails et les soirées mondaines dès qu'on aborde le sujet. Certains éprouveraient le désir inconscient de se punir ou de se détruire, de faire en sorte qu'ils se retrouvent toujours en situation de perdre. Bien sûr, il en est qui peuvent obéir à ce besoin, mais il n'existe pas grand preuve à l'appui d'une telle théorie. Tout au long de mes nombreuses recherches sur la chance et les théories qui s'y rapportent, je n'ai jamais rencontré quelqu'un qui souhaitait vraiment perdre. Les résultats des travaux du docteur Boyd me semblent plus crédibles.

— Les joueurs invétérés, dit-il, sont tout simplement des gens qui, entre autres choses, détestent travailler. Beaucoup, d'ailleurs, ont déjà travaillé ou bien ont réellement essayé, mais souvent sans grand succès. Ils se sentaient "caves". Ce qu'ils craignent le plus, c'est de ressentir à nouveau ce sentiment. Ils ne sont plus disposés à faire le moindre effort. Ils veulent tout pour rien. Ils dépendent de ce qu'ils appellent de vagues intuitions, de signes avant-coureurs qui, bien sûr, s'avèrent le plus souvent complètement faux.

Un des patients du docteur Boyd avait étudié le "système Thorp" pour compter les cartes au Black-Jack. Il s'en servait avec succès. Ce système, inventé par un mathématicien de l'Université de Californie, le professeur Edward O. Thorp, fonctionne si bien que les casinos interdisent que l'on s'en serve et même expulsent ceux qui l'utilisent. De toute façon, pour le maîtriser, le système exige du travail — beaucoup de travail, des heures et des heures d'études.

— Mon patient l'abandonna finalement, dit le docteur Boyd. Il m'avoua franchement que cela représentait trop de travail pour lui.

Il revint à son ancien système basé sur ses intuitions et se remit, bien sûr, à perdre.

Il faut toujours se demander sérieusement, quand on veut agir sur la foi d'une intuition, si ce n'est pas une excuse pour éviter d'avoir à se pencher sérieusement sur le problème — ou pour fuir toute personne qui pourrait apporter une réponse sérieuse aux questions qu'on se pose. De fausses intuitions de ce genre ont déjà provoqué d'innombrables torrents de larmes à Wall Street et dans ses environs. On peut bien escompter bénéficier d'une chance du genre de celle qui advint à Gesse Livermore (ou de prémonition, ou peu importe le nom qu'on lui donne) mais, à moins d'être un fanatique du parapsychologie ou des sciences occultes, il faut être complètement fou pour baser sa vie là-dessus. Pourtant, des spéculateurs le font souvent. Ils se disent: "J'ai le pressentiment que les actions de telle ou telle compagnie vont grimper." Ils achètent sans procéder à aucune vérification. Cette façon d'agir explique leur peu de succès: un pressentiment qui ne s'appuie pas sur des données factuelles solides n'est pas un pressentiment rationnel.

Le chroniqueur économique Chris Welles, dans son livre publié en 1975 *The Last Days of the Clubs,* donne un excellent exemple de ce qu'est un bon pressentiment. Welles parle de Fred Mates, un spectaculaire administrateur de fonds mutuels, qui connut un immense succès pendant ces années de vaches grasses que furent les années 60. Un associé de Mates dit un jour à Welles: "Fred surveille une compagnie pendant très longtemps. Il rassemble toutes les informations qu'il peut trouver à son sujet dans les journaux techniques et les revues commerciales... et partout ailleurs aussi. Puis il lui suffit d'une toute petite information supplémentaire pour qu'il décrète que "cette compagnie sent bon" selon son expérience. Quand il essaye de vous expliquer pourquoi, vous pouvez le comprendre à quatre-vingt-dix pour cent. Après, vous le perdez. Ces derniers dix pour cent sont trop subjectifs. Cela devient du travail d'artiste."

C'est exactement à ce niveau que naissent les intuitions. Mates ne pouvait expliquer comment ses intuitions lui venaient, pas plus qu'aucun autre ne le pourrait. Il savait, par contre, qu'il ne faut jamais se fier à un pressentiment à moins de l'avoir assis sur une solide base de recherches personnelles.

Comme d'autres compagnies, celle de Mates périclita quand le marché s'effondra en 1969. Mates finit par quitter Wall Street. Il ouvrit un bar et expliqua à Wellles que les gens boivent pour oublier les ennuis qu'ils ont eus à la Bourse. Il est difficile d'expliquer comment il se fait qu'un homme tellement intuitif comme Fred Mates ait finalement si mal tourné. Peut-être avait-il violé la seconde règle.

Seconde règle
Ne jamais confondre espoir et intuition

Si une intuition vous dit de quelque chose qu'elle est vraie et si vous tenez absolument à ce que soit effectivement le cas, méfiez-vous-en.

Selon le docteur Nathalie Shainess, bon nombre de faux pressentiments sont simplement de violents souhaits mal déguisés. C'est exactement la raison pour laquelle elle rejetait cet hypothétique pressentiment qu'elle aurait pu avoir sur sa réussite financière dans le secteur de la fève de soja. "Quand les pressentiments et les espoirs commencent à se confondre à la fois dans l'esprit et dans l'estomac, ils se ressemblent à s'y méprendre."

Pour le docteur Boyd, ce genre de confusion est une cause majeure de l'échec des spéculateurs et des joueurs. "Quand on désire ardemment quelque chose, dit-il, il est très facile de se convaincre soi-même que cette chose se produira. Un joueur m'a déjà dit: j'ai l'intuition que je vais gagner une fortune la semaine prochaine. Je lui demandai pourquoi. "Eh bien! m'a-t-il répondu, cela fait si longtemps que je perds que je sens que ma chance est en train de tourner. Je la sens revenir." Il n'y a pas moyen d'avoir une discussion raisonnable avec un homme qui pense ainsi. Le désir est la mère de l'intuition. Ce joueur s'est donc rendu aux courses, il a misé sur chacune et il a fini par perdre tout ce qu'il avait."

Il n'est, bien entendu, jamais possible d'être parfaitement sûr d'un pressentiment. Par nature, un pressentiment se fonde sur des faits inconnus mis en corrélation pour des causes inconnues. Mais il est possible de l'étudier, de le soupeser, de vérifier sa puissance et ce qu'il implique. Un certain cadre, dans une grande chaîne d'alimentation, procède, pour sa part, de la sorte: il essaie de combattre de façon délibérée tous les pressentiments qu'il peut avoir.

— Je discute avec moi-même, dit-il. Je me dis: voyons, c'est seulement parce que tu as pitié de ce type que tu veux lui donner de l'avancement. Tu es impressionné parce qu'il a l'air chétif et parce qu'il a été malade lorsqu'il était jeune. De quoi aura-t-il l'air comme gérant d'un supermarché? Si un compétiteur s'installait dans la même rue, tout ce qu'il pourrait faire, c'est de s'asseoir pour s'apitoyer sur lui-même. De plus, il est mou. Il est si franc et si gentil qu'il va se faire rouler par tout le monde... J'essaie donc réellement de m'imaginer tous les mauvais côtés de cet homme. J'essaie de voir le plus clairement possible certaines images dans ma tête: des comptoirs graisseux, des employés en train d'insulter la clientèle, etc. Je me demande: est-ce vraiment possible?... Après, j'attends quelques jours. Je réexamine mon intuition. D'habitude, je suis forcé de me dire: non! ce n'est pas possible! Quelquefois, pourtant, il arrive que quelque chose me souffle à l'oreille: oui, cela peut se faire! Ma bonne impression première commence à s'atténuer. Je dois alors réévaluer mon jugement. Et, dans certains cas, je finis par faire le contraire de ce que je voulais faire d'abord.

Il se peut, personnellement, que vous ne trouviez pas très utile d'attaquer vos pressentiments pour les vérifier. Le plus important finalement, c'est de se rendre compte que peut-être vous êtes en train de mélanger vos espoirs et ce que vous pensez être des intuitions. Quand une impression du genre vous effleure l'esprit, cela devrait suffire à vous rendre prudent.

Troisième règle
Laisser ses intuitions se préciser

Les intuitions sont fondées sur les faits, mais elles se présentent comme des émotions. Selon le docteur Eugène Gendlin, "de nombreuses personnes sont réellement coupées de leurs propres émotions". C'est sans aucun doute une des raisons qui fait que la plupart des gens sont incapables de devenir vraiment intuitifs. Pour sentir une intuition de façon claire, il faut se mettre à l'écoute de ses émo-

162

tions, les respecter, leur prêter beaucoup d'attention. Cette troisième règle est peut-être la plus importante de toutes.

Corollaire 1. Ne pas étouffer une intuition
à coups de "déductions logiques"

Voici le principal conseil que le docteur Gendlin prodigue à ses patients. Le patient doit aller au fond de ses difficultés personnelles. Il doit apprendre à savoir comment cela chemine à travers son être. Le médecin dit au malade de s'asseoir tranquillement, de relaxer et d'arrêter, dans la mesure du possible, tout processus intellectuel. "N'essayez pas de vous analyser, dit-il. N'intellectualisez rien. *Ne tirez pas de déductions logiques.* Ne dites pas: c'est sans doute... Ne dites pas: X a raison, donc Y doit avoir raison aussi. Essayez simplement de savoir ce que vous *ressentez à propos de telle ou telle situation. Laissez ce sentiment flotter librement en vous."*

Ce que l'on ressent à propos d'une situation, affirme le docteur Gendlin, contient toujours beaucoup plus d'informations que ce qu'on peut en connaître par simple analyse intellectuelle. La sensation est le produit de tout ce qui a été engrangé à la fois par le corps et par l'esprit. C'est un amas très riche de données et d'impressions. Beaucoup ne se traduisent même pas par des mots. On s'impose de très grandes limites si l'on essaie toujours d'aborder tous les problèmes, de prendre toutes les décisions, de manière strictement analytique en ne considérant que ce qui peut se décrire par des mots et se baser sur des faits dont on peut avoir conscience. C'est un peu comme forer un puits de pétrole à l'aide d'un vilebrequin qui n'aurait que trois pieds: la plupart des nappes de pétrole gisent très loin dans le sol.

Ceux qui ont de la chance savent d'instinct comment fouiller ces profondeurs où reposent les intuitions. La plus précieuse remarque du docteur Gendlin, c'est que cette faculté peut s'acquérir. Il apprend à ses patients à identifier leurs sensations les plus vagues, les plus floues, les plus imprécises. Ensuite, il leur apprend à "se concentrer" sur certaines composantes plus restreintes. Il a lui-même exposé sa méthode dans plusieurs journaux professionnels et dans son livre, *Focusing.* Cette démarche peut se résumer de la façon suivante:

— On se demande: que penser de telle ou telle situation..?

— Une sorte de sensation répond (peut-être pas avec des mots): c'est terrible, terrifiant...

— On examine la sensation de plus près pour mieux la définir: terrifiant? En quel sens?

— La réponse, muette, pourrait être: J'ai l'impression de perdre le contrôle... Comme si j'essayais de soulever quelque chose alors que tout, alentour, s'effondre...

— Qu'est-ce qui s'effondre vraiment?

— Cela doit avoir quelque rapport avec Georges. J'ai l'impression qu'il me tire dans le dos quand je ne fais pas attention.

— Tirer dans le dos, comment? Que fait-il exactement?

Et ainsi de suite. Cet interrogatoire ne vise pas à obtenir des explications rationnelles. Il veut seulement rendre la sensation plus précise. Ceux qui sont instinctivement intuitifs appliquent ce procédé chaque fois qu'ils ont à prendre une décision. C'est aussi comme cela, souvent, que les enfants prennent les leurs. Ils trouvent intuitivement la vérité. En vieillissant, certains conservent cette aptitude. D'autres l'étouffent sous leur pensée analytique sans doute parce qu'elle paraît plus raisonnable et plus adulte. En fait, souvent les parents les encouragent à rejeter l'intuition.

— L'enfant: Suzanne ne m'aime pas.

— Les parents: Comment le sais-tu?

— L'enfant: Je le sais.

— Les parents: Mais qu'a-t-elle fait? Est-ce qu'elle a craché sur toi? Est-ce qu'elle t'a donné un coup de pied?

— L'enfant: Non! Elle agit gentiment, c'est vrai... Ah! Je ne le sais pas.

— Les parents: Mais c'est stupide! Tu n'as aucune raison...

Et c'est ainsi que certains d'entre nous perdent ce talent inné. On a peur de s'en servir. On n'ose plus s'y fier.

Corollaire 2. *Rassembler les données floues et les faits concrets.*

Les sensations, les impressions sont des données floues — ou, pour utiliser un mot snob des années 60, des "vibrations". Beaucoup de personnes pensent que les faits concrets — objectifs, non déguisés — sont plus réels. Par conséquent, nombre d'entre elles se limitent aux strictes données concrètes. Elles écartent toute autre espèce d'information sous prétexte qu'elle n'est ni fiable ni vérifiable. En agissant de la sorte, on empêche son intuition de faire quelque exercice que ce soit.

Un homme et une femme sont allés à une réception. Un ami leur demande plus tard comment c'était.

L'homme: "Georges et Evelyne étaient là. Il y avait également Edouard et Françoise, etc... On a mangé des côtelettes de porc..."

La femme: "C'était amusant de retrouver tous ces vieux amis. Mais il y avait une certaine gêne dans l'air. J'avais l'impression que nous étions tous en compétition. Chacun semblait vouloir prouver qu'il avait mieux réussi dans la vie que les autres, que ses enfants étaient plus brillants..."

Dans sa description, l'homme s'est limité aux données factuelles. La femme s'est servie de données floues — de sensations. Si quelqu'un les mettait au défi de produire une preuve tangible de ce qu'ils avancent l'un et l'autre, l'homme aurait, bien sûr, l'avantage. La femme serait incapable de fournir la moindre preuve. Il faut un certain courage pour tenir compte de données floues que ne vient étayer aucune preuve objective — et c'est peut-être pourquoi les hommes s'en tiennent généralement aux faits. Mais si quelqu'un, plus tard, avait à demander conseil à cet homme ou à cette femme pour l'aider à prendre une décision difficile concernant l'une ou l'autre des personnes présentes à cette réception, c'est sans doute les sensations de la femme qui seraient les plus dignes de foi.

"La capacité de percevoir les vibrations augmente avec la pratique", affirme un psychiatre de New York, le docteur Abraham Weinberg. Bon nombre de ses clients sont des courtiers ou des spéculateurs de Wall Street. Weinberg a consacré une grande partie de sa vie à essayer de découvrir pourquoi certains réussissaient mieux que d'autres à deviner les fluctuations du marché. Il en est finalement arrivé à la conclusion que les plus chanceux étaient ceux qui, entre autres choses, tenaient compte à la fois de leurs impressions et des données factuelles. "Pour réussir, il faut vous exercer chaque jour, dit-il. Profitez de chaque situation. Tâchez toujours de ressentir plus que ce que vous pouvez simplement constater. Restez aux aguets: quelles sont les vibrations? De quelle façon suis-je en train de les percevoir? Beaucoup de personnes méprisent ce genre de perception parce que les vibrations semblent sans rapport aucun avec les cinq sens habituels. Les vibrations paraissent un phénomène occulte, mystique. Cependant ces vibrations — ces impressions, si on préfère; des impressions qui resteraient très floues — sont tout à fait réelles. Pour pouvoir s'en servir, il faut se mettre en état de complète réceptivité."

Le docteur Weinberg a l'impression que ces "vibrations" sont quelquefois de nature télépathique. Beaucoup d'autres chercheurs, on l'a vu, sont également de cet avis. Weinberg admet cependant qu'il n'est pas absolument nécessaire de recourir à la parapsychologie pour les expliquer. Elles s'expliquent de la même façon que toutes nos intuitions quotidiennes: ce sont des données réelles, consignées dans l'esprit en-dessous du seuil de la pensée consciente.

Personnellement, je préfère également expliquer ces sensations sans recourir à la parapsychologie. C'est pourquoi je préfère les appeler "données floues" plutôt que "vibrations". Si la parapsychologie vous séduit, cela ne change pas grand-chose. Peu importe votre interprétation, l'univers des sensations et des impressions existe bel et bien. C'est un univers extrêmement riche, tout au moins pour ceux qui se donnent la peine de l'utiliser.

3. "AUDENTES FORTUNA JUVAT"

"La fortune sourit aux audacieux", dit un vieil adage latin. A première vue, cela paraît un non-sens. On pourrait s'imaginer qu'il fut inventé par quelque vieux général romain pour insuffler un peu d'enthousiasme à ses troupes défaillantes, la veille d'une bataille importante. Cet adage semble rempli d'un optimisme sans fondement, un assemblage de mots bien sympathique, mais qui ne repose sur rien de concret. En effet, si parfois Dame Fortune sourit aux audacieux, il arrive très souvent également qu'elle leur fasse la tête.

D'ailleurs, un autre adage dit le contraire. On peut considérer qu'il est tout aussi exact que le premier: "Ne t'expose pas et tu ne recevras pas de blessure" — ou, comme le disent certains bons militaires: "Jamais volontaire pour rien."

Pourtant, il existe une donnée surprenante. Ceux qui ont de la chance sont souvent des audacieux. Les hommes et les femmes les plus timides que j'ai rencontrés dans mes déplacements étaient, à quelques exceptions près, des gens qui n'avaient pas de chance.

Pourquoi donc? On pourrait faire remarquer, en premier lieu, que la chance rend audacieux. Si la vie a toujours été clémente pour quelqu'un, il est probable qu'il consentira à prendre plus de risques que celui que la fortune a régulièrement souffleté.

Mais cela demeure tout aussi vrai, si on inverse les termes. L'audace contribue à provoquer la chance. Le vieil adage latin n'est peut-être pas parole d'évangile, mais il comporte quand même certains éléments absolument indiscutables. Examinons-les plus en détail. *Audentes fortuna juvat.*

La promotion 1949 de l'Université de Princeton célébrait en 1974 le vingt-cinquième anniversaire de la remise des diplômes. "Ceux de 49", comme ils s'appellent eux-mêmes, ont toujours formé un groupe d'une très grande cohésion et un cercle assez fermé. Ils aiment savoir ce que les uns et les autres sont devenus. Périodiquement, ils se rassemblent pour prendre mutuellement de leurs nouvelles. A l'occasion de ce vingt-cinquième anniversaire, ils ont procédé à une sorte d'enquête très détaillée et qui sortait un peu de l'ordinaire. Les résultats révélèrent certaines données intéressantes sur la chance des uns et des autres.

La vie et la chance avaient, bien sûr, produit pour certains de "ceux de 49" beaucoup de bonheur et, pour d'autres, beaucoup de tristesse pendant ce quart de siècle qu'ils avaient tous vécu en adultes autonomes. La promotion de 1949 se composait d'environ sept cent soixante-dix jeunes gens, tous remplis d'espoir. En vingt-cinq ans, vingt-cinq d'entre eux, environ, étaient morts — victimes de la guerre, d'accidents ou de maladie; victimes, finalement, d'un ultime caprice du sort. Une quarantaine étaient "perdus", comme on dit, c'est-à-dire que plus personne ne savait où ils étaient ni ce qu'ils étaient devenus. Un tiers environ des sept cents diplômés de 1949 remplirent donc, sans s'identifier, le questionnaire qu'on leur remit à l'occasion de ce vingt-cinquième anniversaire.

Une des questions était plus difficile que toutes les autres réunies. Elle demandait à chacun de ces hommes de remonter le temps et d'imaginer ce qu'ils auraient ressenti au moment de la remise des diplômes, si les choses s'étaient déroulées selon le plan suivant.

Ce jour-là, une belle journée de juin, chargée de rêves et de mystères, chacun, à tour de rôle, avait sauté sur l'estrade pour recevoir son diplôme. Le recteur de l'université lui avait serré la main, lui avait remis son parchemin et, l'air grave, lui avait offert un cadeau assez spécial. On pouvait l'accepter ou le refuser. Il s'agissait d'une boule de cristal qui permettait de lire très précisément l'avenir. En acceptant la boule, on savait quel genre d'homme on serait devenu un quart de siècle plus tard, en 1974. La boule de cristal révélait tout ce qui était important: les réalisations professionnelles et financières, les satisfactions matrimoniales et sexuelles, les relations familiales et sociales, l'état de santé, bref toute la galaxie des joies et des misères de l'être humain. Celui qui acceptait la boule de cristal, en la regardant, se voyait donc tel qu'il deviendrait au milieu des années 70. Et voici quelle était la question: Quelle est sa réaction? Est-il agréablement surpris? Est-il devenu celui qu'il espérait devenir? Ou bien, au contraire, est-il déçu et un peu triste?

Deux cinquième; environ de ceux qui remplirent le questionnaire répondirent que le jeune homme réagirait avec surprise et satisfaction. Deux autres cinquièmes estimèrent que le jeune homme serait content mais nullement surpris: il lui serait arrivé, au bout de vingt-cinq ans, exactement ce qu'il avait prévu. Le dernier cinquième enfin nota que ce jeune homme serait triste et déçu.

On peut dire de ceux qui font partie du groupe des gens surpris et satisfaits qu'ils ont eu de la chance. Visiblement, ces hommes avaient su se trouver au bon endroit et au bon moment. La vie les

168

avait mieux traités qu'ils n'auraient jamais pu l'imaginer. Au contraire, dans le groupe des gens tristes et déçus, ceux-ci n'avaient pas été choyés comme ils pensaient qu'ils le seraient. Peut-être certains avaient-ils visé trop haut. On peut donc, globalement, qualifier ce groupe de malchanceux. Pour de multiples raisons, il leur était arrivé moins de choses agréables qu'aux autres.

Pourquoi? Probablement parce qu'ils n'avaient pas bien su construire leur toile d'araignée ou parce qu'ils manquaient de talent pour se servir à bon escient de leur intuition. Le sondage ne permet pas de le préciser. Par contre, il démontre très clairement que ces gens, qui n'ont jamais eu de chance, manquent d'audace.

J'en suis arrivé à cette conclusion grâce à une corrélation assez remarquable avec les réponses à une autre question du sondage. Il s'agissait de noter pour combien de compagnies différentes on avait travaillé ou dans combien d'entreprises on s'était lancé (si on travaillait à son compte) depuis la remise des diplômes. Ceux qui avaient changé le plus souvent étaient ceux qui se considéraient comme extrêmement chanceux. La grande majorité de tous ceux qui avaient évolué de façon audacieuse dans la vie — qui avaient changé au moins six fois d'emploi depuis la graduation ou qui avaient fondé au moins six entreprises différentes — se disaient surpris et satisfaits de leur sort. Bon nombre de ceux qui avaient toujours travaillé pour le même employeur ou qui n'avaient monté qu'une seule affaire se sentaient tristes et déçus.

Il est sûr qu'il faut se garder de toute conclusion hâtive. Il est impossible d'ériger en vérité absolue que le fait de changer fréquemment d'emploi augmente la chance qu'on peut avoir — ou, à l'inverse, qu'il n'est pas bon de s'attacher à une seule compagnie et d'y rester toute la vie. Comme on va le voir, tout dépend de la façon dont se passent ces changements fréquents. On ne peut pas affirmer non plus de façon catégorique que les hommes et les femmes qui changent souvent d'emploi ou se lancent dans de multiples entreprises sont, de par ce seul fait, des personnes audacieuses.

Aucun de ceux qui se considéraient comme surpris et satisfaits de leur sort n'avait, bien sûr, raté ses objectifs professionnels. Tous avaient le sentiment que les fréquents changements dans leur carrière les avaient chaque fois rapprochés des objectifs qu'ils s'étaient fixés

— ou tout au moins que le dernier changement y avait contribué. On peut donc en conclure que ces hommes lorsqu'ils décidaient de changer d'emploi, le faisaient de façon à améliorer leur sort.

Décider? Comment? Avec audace! La chance de ceux qui en ont est attribuable, au moins partiellement, au fait qu'ils n'ont jamais peur de prendre des risques — et, dans certains cas, de prendre des risques fréquents. Cette assertion isolée de son contexte pourrait laisser croire que les personnes qui ont de la chance sont de simples joueurs qui risquent et gagnent. Il ne faut pas sortir mon affirmation de son contexte. Il y a plusieurs façons de prendre des risques, les deux principales étant la façon intelligente et la façon stupide. L'audace est un élément important de la chance mais ce doit être le bon genre d'audace — celle que certains mécanismes internes permettent de garder sous contrôle. La plupart des hommes du groupe des gens surpris et satisfaits, étaient, en fait, des audacieux de la bonne espèce.

J'ai discuté du sondage avec la plupart des gens de cette promotion de 1949, aussi bien avec les cancres qu'avec les sujets les plus brillants. J'ai discuté également avec d'autres personnes qui ont étudié les rapports entre la vie, la chance et le caractère. Le vieux dicton latin est exact — à condition de bien savoir le lire.

Première règle
Etre toujours prêt à étudier soigneusement
les bonnes occasions quand elles se présentent

— Au début, en quittant l'université, me dit une de ces personnes de la promotion 1949, j'étais imprégné des préceptes traditionnels qu'on nous avait inculqués: "Accrochez-vous au juste milieu. Concentrez-vous sur votre travail. Persévérez dans l'escalade de la même maudite montagne, même si vous dégringolez régulièrement." Vers la trentaine, j'ai soudainement réalisé que tout cela, ça ne valait pas grand-chose, que c'était un bon moyen de s'attirer toute sorte de malchances — ou, tout au moins, de passer à côté de la chance véritable. De toutes les personnes que j'ai connues, celle qui a eu le plus de chance a toujours vécu "en zigzags". Sa vie a changé de direction d'innombrables fois. C'est une erreur de rester toujours planté sur la même voie. Il faut être prêt à sauter dans un autre train, si l'occasion se présente.

L'homme qui s'exprime de la sorte s'était fait embaucher, après avoir été pilote pendant la guerre de Corée, dans une grosse entreprise manufacturière comme stagiaire en administration des ventes. "La compagnie, dit-il, employait des milliers de jeunes gens dans tous les secteurs. Tous tentaient de grimper péniblement l'échelle. A chaque promotion, le nombre de bons postes diminuait. Il était évident que la plupart d'entre nous continueraient de végéter dans un travail sans intérêt et sans issue. Cependant, j'avais gardé en tête toutes ces idées qu'on nous avait apprises: ce sont les plus tenaces qui gagnent, etc. — et puis, il y avait la sécurité. Pendant longtemps donc, j'ai tenu bon. J'ai continué dans la même direction..."

Une occasion imprévue se présenta soudain. Il était en voyage d'affaires dans une ville du Sud. Au moment d'entrer dans la salle à manger de son hôtel, il aperçut un vieil ami d'enfance en train de dîner seul à une table. L'ami vendait des fonds mutuels. A cette époque-là, c'était un domaine plutôt tranquille et peu connu, mais il se mit à prospérer très vite. "Mon ami semblait heureux et à l'aise. Son groupe souhaitait recruter de nouveaux vendeurs et les enrichir, me dit-il. Ce qu'il me disait de son métier me fascinait. L'idée de quitter la sécurité de mon emploi et de me lancer dans quelque chose de complètement neuf auquel je n'avais jamais pensé m'effrayait un peu. Par contre, je me disais: mon vieux, ne laisse pas passer ta chance! N'aie pas peur, joue cette carte! Et voilà! J'ai joué et j'ai gagné."

Il s'enrichit grâce aux fonds mutuels. Pendant de nombreuses années, il travailla pour deux compagnies. Puis une autre occasion se présenta. Il changea de nouveau de direction. Avec deux de ses amis, il créa sa propre compagnie d'investissement et de management. La compagnie était prospère. Et lui aussi. Puis une autre chance se présenta. Grâce à ses nombreux contacts dans les milieux financiers, on lui demanda de faire partie d'une commission gouvernementale chargée d'étudier certains des problèmes financiers de l'Etat.

"J'avai toujours rêvé de travailler pour le gouvernement, dit-il. J'ai donc accepté. A l'heure actuelle, j'étudie la possibilité de faire autre chose encore, bien plus excitant et, en même temps, qui m'effraie un peu. Le mois dernier, quelques personnes m'ont demandé de me présenter à la mairie l'an prochain. J'ai eu envie de leur répondre: non, je ne suis pas un politicien! Mais je ne l'ai pas fait. J'avais appris ma leçon. Il y a quelques années, si j'avais répondu: non, je ne serai pas vendeur de fonds mutuels, je ne serais nulle part aujourd'hui. Je vis vraiment en zigzags. Cela rend ma vie passionnante. Et, en plus, cela paie bien. Alors, l'an prochain, pourquoi pas? Je serai peut-être politicien!''

Un des diplômés de 1949 qui n'avait pas eu de chance baissa tristement la tête au-dessus de son troisième Martini sec en m'entendant raconter cette histoire. Dans le verre, la boisson transparente ressemblait à ses larmes. ''Je sais que, vous autres, vous avez assez de cran pour changer de situation, dit-il. J'aurais dû l'apprendre quand j'étais plus jeune. J'étais trop bien où j'étais. Ma femme et moi, nous avions peur tous les deux d'emballer nos affaires et de repartir dans une autre direction. Je me suis enlisé par ma faute. C'est vraiment ce que je veux dire: *enlisé*...''

Après avoir obtenu son diplôme, il commença à travailler pour une chaîne de grands magasins. Pendant vingt ans, il resta dans la même compagnie. Il finit comme gérant d'un des magasins les plus tranquilles. C'était un cul-de-sac. Pendant la récession du début des années 70, la chaîne connut de sérieux problèmes. Le magasin fut fermé. La dernière fois que j'ai vu cet homme, il cherchait désespérément un autre emploi. Il approchait de la cinquantaine. Sa femme s'était remise à travailler, elle aussi. Elle l'a finalement quitté, en partie parce que ses mésaventures le rendaient invivable.

Il était assis au bar à mes côtés. Nous jouions au jeu des ''si'', probablement le jeu le plus cruel du monde. ''Si seulement j'avais eu le cran de zigzaguer, dit-il, reprenant l'expression du candidat à la mairie...'' Il se mit à me raconter qu'il avait souvent repoussé des offres très alléchantes. Une fois, au cours d'un voyage de pêche, la chance l'avait mis en rapport avec un groupe d'hommes d'affaires qui projetaient de construire une marina. Depuis son enfance, la navigation était son passe-temps favori. Le groupe lui offrit de devenir gérant de cette marina avec participation aux bénéfices et la possibilité d'en devenir actionnaire. Il refusa l'offre. Il ne pouvait se détourner du chemin qu'il s'était tracé. Il s'était lui-même classé comme ''gérant de magasin''. L'occasion qui se présentait ne correspondait

172

pas à cela. Il la refusa donc sans même l'examiner. "Le type qui a accepté la gérance de cette marina est riche à l'heure actuelle. En plus, il fait ce qu'il aime. Il fait ce que j'aurais aimé faire. Ah! pourquoi suis-je donc si timide?" m'a-t-il dit.

"La chance sourit à ceux qui sont prêts à l'accepter", dit un autre dicton. En d'autres termes, de petites chances passent régulièrement à la portée de tout le monde. Seuls ceux qui ont assez d'audace pour tendre la main et les saisir savent en profiter.

Le docteur Charles Cardwel est professeur de philosophie à l'Institut Polytechnique de Virginie. Il a étudié le rôle de la chance dans l'existence. Il fait une distinction entre les mots "chance" et "fortune": "On entend souvent dire, constate-t-il, que chacun bâtit sa propre chance. Si le mot "chance" signifie "événement heureux", alors ce n'est pas vrai. Ces heureux hasards arrivent à n'importe qui. On ne fait pas sa chance. Elle arrive et s'en va toute seule. Par contre, il est possible à chacun de bâtir sa bonne fortune. Il suffit de rester alerte et d'utiliser la chance avec sagesse."

Ou avec audace. Le gérant de magasin, de son propre aveu, n'y réussit pas et c'est pourquoi il rata sa vie. Peut-être sa timidité naquit-elle du fait qu'il était incapable de comprendre la seconde règle.

Seconde règle
Savoir faire la différence entre audace et témérité

Jouer sa vie sur une aventure spectaculaire dans laquelle on risque de tout perdre, voilà de la témérité. Accepter l'idée d'un emploi nouveau et intéressant, même s'il relève d'un autre domaine que le sien et même si la perspective de se lancer dans l'inconnu est un peu effrayante, voilà de l'audace.

S'il s'agit de spéculations financières, on peut gagner gros comme on peut aussi tout perdre. Dans le cas d'un nouvel emploi, on peut gagner gros également mais il n'y a jamais grand-chose à perdre. Un surcroît de timidité empêche souvent de faire cette distinction.

"Que risque-t-on de perdre lorsqu'on se lance dans une nouvelle carrière?" se demande un des autres diplômés de 1949 qui a eu de la chance. Celle-ci cogna à sa porte au moment où il venait tout juste d'atteindre la quarantaine. Il voulait quitter un emploi de gérant très ennuyeux pour recommencer à neuf comme professeur. Il avait toujours voulu cela. "Quand l'occasion se présenta — ce que je considérais comme une chance énorme —, ma femme, mes enfants et moi, nous étions tous inquiets et un peu nerveux. Finalement, je me demandai ce qu'il y avait d'effrayant là-dedans? le fait de déménager? de changer de milieu? de rencontrer des gens nouveaux? de commettre des erreurs au début? Bien sûr, il y avait tout cela et d'autres choses encore qui me faisaient un peu peur. Je déclarai pourtant à ma femme: écoute! Ce n'est pas une question de vie ou de mort, quand même! Même si tout va mal, on ne va pas disparaître de la surface de la terre. On restera toujours vivants. On aura toujours une maison et assez d'argent pour manger. Les risques finalement, ne sont pas si considérables. Et si j'échoue comme professeur, je n'aurai tout simplement qu'à redevenir gérant."

Cet homme essaya de s'imaginer le pire. Il étudia la situation sous tous ses angles et finit par conclure que ce n'était pas assez effrayant pour le détourner de son projet. "En fait, dit-il, cela se présentait comme une sorte de mauvais rêve — irréel, et donc sans portée. Le scénario se déroulait à peu près comme suit: primo, je ne réussissais pas dans ma nouvelle carrière de professeur; secundo, j'étais obligé de quitter ou on me mettait à la porte; tertio, j'essayais de reprendre ma carrière de gérant; quarto, comme j'ai atteint la quarantaine, personne ne voulait m'engager."

Pour vérifier si, effectivement, le pire était aussi terrible qu'il le semblait, il discuta avec d'autres personnes qui avaient dû chercher un emploi alors qu'elles avaient dépassé la quarantaine. Il se rendit également dans certaines associations réservées aux plus de quarante ans, qui s'occupent précisément, dans plusieurs villes, de combattre la discrimination de l'âge au niveau de l'embauche. Toutes ces démarches le rendirent optimiste.

— On m'a dit à peu près ceci: nous ne vous promettons pas la lune. Trouver un emploi pour un cadre de plus de quarante ans n'est pas toujours facile. Mais, tous les jours, il y en a qui s'en trouvent. Des hommes et des femmes! Et celles-là doivent, en plus de la discrimination de l'âge, tenir compte de la discrimination des sexes. Vous avez de bonnes qualifications et une solide expérience. Il y a gros à parier qu'en moins de trois mois, vous vous trouverez du travail. Au pire, disons en six mois.

Ainsi donc, le pire était de rester sans salaire pendant six mois. Etait-ce tellement effrayant? Etait-ce suffisant pour ne pas tenter l'aventure? Cet homme décida que non. Il en vint à la conclusion que sa nouvelle carrière comme enseignant lui apporterait beaucoup de satisfaction personnelle, lui permettrait de s'épanouir, tout en ne lui faisant courir qu'un risque minime.

Il saisit donc sa chance. Ce changement d'orientation pourrait paraître téméraire. En fait, il était seulement audacieux.

"Les gens qui se disent malchanceux sont souvent des êtres passifs, note le psychiatre Abraham Weinberg qui a passé des années à étudier les différences entre ceux qui ont de la chance et ceux qui n'en ont pas. Les malchanceux ont tendance à laisser la vie venir à eux au lieu de saisir toutes les occasions qu'ils auraient d'agir eux-mêmes. Le changement en soi les effraie souvent, même s'il ne présente aucun risque. Au lieu d'évaluer la situation et les aspects réellement négatifs, ils abandonnent tout simplement dès qu'il s'agit de quelque chose de nouveau. Ils se disent: le risque est trop grand. Même quand il n'y en a pas du tout. En fait, pour eux, c'est une sorte d'excuse qui leur permet de demeurer dans un domaine qui leur est familier."

Il est très facile de refuser une aventure passionnante et nouvelle en la qualifiant de "téméraire". Ce petit mot est une merveilleuse excuse pour ceux qui n'ont pas envie d'agir — une excuse bien souvent irréfutable. Cela semble empreint d'une vieille sagesse légendaire. "Ne vous exposez pas, vous ne serez pas blessé"; effectivement! vous ne le serez probablement pas — mais vous resterez bien loin de vos objectifs personnels, aussi.

Si vous voulez améliorer vos chances, il est essentiel de bien savoir établir la distinction entre l'audace et la témérité. Soyez sincère avec vous-même. Efforcez-vous d'évaluer honnêtement les situations qui vous effraient. Il se peut que "la témérité" vous ait déjà servi d'excuse pour éviter d'avoir à prendre certains risques mineurs.

Quand on prend des risques, il faut s'attendre à perdre, bien sûr. Mais qui ne risque rien n'a rien. Les gens qui ont de la chance sont conscients de cette possibilité de perdre. En réalité, il peut leur arriver de perdre souvent. Mais comme les risques qu'ils prennent sont réduits, leurs pertes le sont également. Quand on est prêt à accepter de petites pertes, on se place en position de faire de gros bénéfices.

Les spéculateurs et les joueurs qui ont de la chance connaissent bien cette règle. On entend souvent répéter aux abords des casinos ou de Wall Street: "Ne misez jamais l'argent dont vous avez besoin pour vivre." Risquer de perdre l'argent qui sert à répondre aux besoins essentiels et vitaux, voilà de la témérité. "De plus, cela rend trop nerveux pour miser en connaissance de cause." Par contre, il n'est pas nécessairement téméraire de spéculer avec une somme d'argent dont on peut se passer — perdre de l'argent, sur le coup, est toujours difficile; mais ce n'est jamais tragique. Ce peut même être amusant parfois, à condition que ce soit l'audace, et non la témérité, qui mène le jeu.

Le jeu et la spéculation financière ne vous attirent peut-être pas. C'est une question de choix personnel. Si vous n'avez jamais acheté de billets de loterie ou joué à la Bourse, vous n'avez pas le droit d'être jaloux de ceux qui le font et qui gagnent. Vous n'avez aucun droit de rechigner: "Certaines personne sont toujours de la chance. Ce n'est pas à moi que cela risquerait d'arriver." Cela ne vous arrive pas parce que vous refusez de jouer le jeu.

La fortune ne favorise ni les timides ni les téméraires (bien qu'en termes d'aventure les téméraires en ont souvent pour leur argent). La fortune favorise les audacieux parce qu'ils agissent dans un territoire qui se situe entre deux extrêmes. Ils n'ont pas peur d'agir quand ils estiment qu'ils ont de solides chances de leur côté.

Troisième loi
Au moment de vivre une situation nouvelle,
ne pas essayer de savoir d'avance ce qui va arriver

J. Paul Getty, le milliardaire du pétrole décédé en 1976, était un homme qui avait une totale confiance en ces trois règles que je viens d'étudier — et particulièrement en la dernière. Il serait peut-être intéressant de jeter un bref coup d'oeil sur la vie de cet homme qui a toujours eu beaucoup de chance. Getty n'a pas seulement eu de la chance mais il est resté jusqu'au bout un être sociable, enthousiaste et cohérent. Il aimait analyser son existence et en tirer des enseignements qui pourraient servir aux jeunes qui débutent dans leur carrière. Je ne l'ai rencontré qu'une seule fois mais sa puissante personnalité m'a fortement marqué.

On croit généralement que Getty tenait son immense fortune d'une autre à peine moins considérable, héritée de son père, un avocat qui devint un magnat du pétrole. C'est faux. Le père de Getty est en effet mort millionnaire mais J. Paul l'était déjà lui-même devenu. Il avait bâti sa fortune tout seul — et, en partie du moins, parce qu'il savait comment se servir de sa chance.

Durant ses premières années, il a, comme beaucoup de ceux qui ont de la chance, zigzagué. Il est allé au collège avec l'idée de devenir écrivain (c'est ce qu'il a fait plus tard, mais à ses moments perdus, et ce n'était d'ailleurs pas un mauvais écrivain). Ensuite, à cause de cette facilité qu'il avait à traiter avec les gens, il décida d'embrasser la carrière diplomatique. Au sortir du collège, tandis qu'il tentait de trouver un emploi dans la fonction publique, il se sentit attiré par le boom économique provoqué par la découverte de pétrole dans l'Oklahoma. Le pétrole avait enrichi (et beaucoup amusé) son père. Pourtant, c'était un domaine très éloigné de la route que s'était tracée le jeune Getty. Comme il était de la race de ceux qui ont de la chance, il se dit qu'il devait tenter la sienne. Il renvoya donc à plus tard sa carrière diplomatique et décida de s'essayer pendant un an ou deux à faire de la prospection.

Il gagna de l'argent en travaillant pour d'autres prospecteurs. A l'occasion, il en empruntait à son père. Les principes rigoureux de ce dernier lui interdisaient de choyer son fils. Il ne lui donnait jamais rien: pas d'argent! pas de cadeau! De plus, il exigeait que son fils lui rendît très rapidement chaque sous qu'il lui prêtait. Le jeune Getty était heureusement conscient de la différence entre l'audace et la témérité. Il ne se lança jamais dans aucune aventure qui nécessitait une grosse mise de fonds. En cas de faillite, la somme qu'il pouvait perdre n'était jamais assez importante pour lui causer des ennuis sérieux. Plutôt que sur l'argent, il misait sur ses talents personnels: son calme, sa prudence, son sens de la psychologie, de la négociation et de la vente.

Ses premières aventures furent des échecs. Il se remit à songer à sa carrière diplomatique. Mais, au début de 1916, alors qu'il forait sur une concession qu'il avait obtenue pour la ridicule somme de cinq cents dollars, il tomba sur une nappe de pétrole plus ou moins importante. Elle donnait quelque sept cents barils par jour et fut à la base de la fortune du jeune homme. Il n'avait alors que vingt-trois ans.

De la chance? Bien sûr, mais il la méritait. Il avait fait tout ce qu'il fallait.

Plus tard, des gens lui ont demandé ce qui l'avait amené à risquer cinq cents dollars sur cette concession-là plutôt que sur une autre. Comment savait-il qu'il y avait du pétrole? Il répondit qu'il l'ignorait. Il avait recueilli toutes les informations possibles, étudié l'emplacement et les abords du terrain, discuté avec des géologues et avec d'autres experts. Il eut finalement le fort pressentiment que l'endroit était bon. "Il était évidemment hors question de savoir *à coup sûr* ce qui arriverait, dit-il. S'il y avait un moyen sûr à cent pour cent de connaître l'emplacement des nappes de pétrole, personne ne forerait pour rien. La prospection ressemble à toutes les autres aventures humaines, depuis le mariage jusqu'à l'achat d'une nouvelle voiture. Il y a toujours un élément de risque. Il faut être prêt à vivre avec cet élément. Si l'on veut toujours être tout à fait sûr de tout, on n'est jamais capable de prendre aucune décision. On se paralyse soi-même."

Getty n'avait rien contre les faits. Selon son point de vue, dans presque toutes les actions humaines, il vient un moment où l'on doit cesser de les accumuler. Il faut prendre — avec audace — la décision de foncer ou de ne pas foncer. Les faits sont rarement tout à fait suffisants. On connaît rarement tout ce qu'on veut savoir. S'informer de quelque chose dans la mesure du possible correspond au simple bon sens. Cependant, il existe toujours un seuil au-delà duquel l'examen des faits n'apporte plus rien. Passé ce seuil, si l'on est incapable de prendre une décision, parce qu'on se dit toujours: "je n'ai pas fini d'examiner la chose... il me reste à vérifier ceci ou cela...", cela signifie tout simplement qu'on se cherche une excuse parce qu'on est trop timide pour agir — cela ressemble comme deux gouttes d'eau à la "témérité". Comme le dit Getty, on finit par ressembler alors à ces commissions d'enquête gouvernementales qui n'osent pas prendre de décisions. Elles tiennent des audiences publiques, rassemblent des faits, les étudient, se donnent beaucoup de peine, s'agitent très, très fort pendant des mois et des mois. Et puis, au bout d'un temps, on se rend compte que tout cela n'est que feintes. Faire semblant d'agir est une bonne façon de masquer son inaction.

Tout ce que l'on fait pour éviter la paralysie des arguties interminables est utile. Dans certains cas, il n'est donc pas nocif du tout, et même parfois très utile, d'être un adepte de quelque mouvement mystique ou de quelque secte occulte — ce que d'autres appellent "la superstition".

Dans nos sociétés modernes et industrialisées, il est de bon ton de se moquer des superstitions. Ce mépris est une attitude intellectuelle courante que l'on retrouve de Moscou à Los Angeles. L'ère du Verseau, comme on la désigne, a débuté, dit-on, au cours des années 60. Il paraîtrait que c'est un âge pendant lequel les gens seront plus tolérants vis-à-vis du mysticisme et des sciences occultes — si c'est le cas, cette tolérance semble, jusqu'ici, encore limitée. Il est encore très mal vu dans beaucoup d'endroits d'admettre en public que l'on croit en l'astrologie ou qu'on lit l'avenir dans les tarots, à moins, bien sûr, d'en même temps se moquer de soi-même pour bien montrer que l'on a conscience d'être un peu ridicule. Et si ces croyances n'étaient pas si ridicules, après tout? Examinons donc de plus près quelle utilité pratique peut avoir la superstition.

Tout d'abord, une petite remarque d'ordre sémantique! J'ai déjà signalé que ce qui est de la religion pour quelqu'un peut, pour quelqu'un d'autre, être de la superstition. Le terme "superstition" a une connotation péjorative. Il signifie "croyance occulte ou mystique propre aux ignorants" — en d'autres terme "toute croyance autre que la mienne". Je n'aime pas le mot à cause, précisément, de cette connotation péjorative. Il me faut pourtant l'employer car je n'en ai pas d'autre. Alors, quand je l'emploierai dans ce livre, je vous demande instamment de ne pas vous mettre à ricaner. Il signifie ici "croyance occulte ou mystique qui n'est pas partagée par tout le monde".

Il y a quelques années, quand j'ai commencé à m'entretenir avec des gens qui avaient eu de la chance, un fait déconcertant m'est très vite apparu. A quelques exceptions près, les gens qui ont vécu certains coups de chance spectaculaires sont tous superstitieux. Getty l'était. "Oui, j'ai mon petit fétiche personnel", me répondit-il sans préciser, quand je lui posai la question. Léonard Bernstein a toujours sur lui, quand il dirige, sa paire de boutons de manchette porte-bonheur. Truman Capote devenait nerveux quand il voyait un cendrier contenant plus de trois mégots. Il dépensait une énergie considérable à garder les cendriers vides. Arlen Francis porte toujours le même pendentif quand elle doit apparaître en public. S'il ne va pas avec sa robe, elle le porte en-dessous. Quant à Zsa-Zsa Gabor, son fétiche est une bague qu'on lui a donnée quand elle était petite. La liste des personnalités qui sont aussi des fanatiques de l'astrologie pourrait remplir un annuaire téléphonique très volumineux. Le président Grover Cleveland consultait régulièrement son astrologue, tout comme J. Pierpont Morgan; c'était également le cas d'au moins deux présidents de la Bourse de New York, Jacob Stout et Seymour Cromwell. Cornelius Van der Bilt ("le Commodore") s'intéressait non seulement aux étoiles mais aussi aux esprits. Il consultait les spirites afin d'obtenir des esprits de bons tuyaux sur l'avenir.

On peut interpréter d'au moins deux façons le fait que la superstition soit si répandue parmi les hommes et les femmes qui ont réussi.

Soit qu'on l'utilise, et on l'a déjà fait, pour prouver l'efficacité d'une méthode. "Si l'astrologie aide J. Pierpont Morgan, pensez à ce qu'elle pourrait faire pour vous!"

L'autre interprétation ne demande à personne de croire en quelque force invisible que ce soit. On peut envisager la superstition comme une sorte d'expédient psychologique qui aide certains dans leurs moments d'inquiétude, de confusion ou d'indécision. Quand on doit faire un choix et qu'on est indécis parce qu'on manque de données, une bonne petite superstition permet d'éviter l'immobilisme. Lorsqu'on a fait tout ce qu'il fallait, lorsqu'on a diligemment recueilli tous les faits essentiels d'une situation donnée et lorsqu'on ne sait toujours pas quel chemin prendre parce qu 'on ne dispose pas d'assez d'information , s'en remettre alors à ses superstitions peut être positif. Cela permet de se débarrasser du travail et des soucis que provoque une décision à laquelle le travail et les soucis ne peuvent plus apporter davantage qu'ils ne l'ont déjà fait. Cela vous aide à vous sentir de l'audace!

Considéré sous cet angle, le fait qu'il y ait beaucoup de superstitieux parmi les gens qui ont de la chance s'explique facilement. Ils ont de la chance parce que, entre autres, ils se servent souvent instinctivement de certaines superstitions pour s'enhardir et être ainsi plus aptes à prendre des décisions. Comme Getty, ils savent qu'il y a un élément de risque dans presque toutes les opérations humaines. Souvent, le risque est important. On ne peut nullement le diminuer en y appliquant une logique rationnelle. Lorsqu'aucune réflexion ne peut servir à diminuer le risque ni à influencer le résultat d'une action, c'est là qu'une superstition peut avoir son utilité. Elle aide à opérer des choix rapides et sans peine excessive en dépit du fait que l'on ne dispose que de très peu de données.

On doit souvent faire face à des situations dans lesquelles, quoi qu'on décide, le choix est mauvais. Mais l'immobilisme l'est plus encore. On connaît l'histoire inachevée que raconte Frank Stockton, à propos d'une femme et d'un tigre. Le héros de l'histoire s'attire la colère du roi qui le condamne à un choix difficile. Il est enfermé dans une arène dont les seules issues sont des portes cadenassées. Derrière l'une, il y a une femme; derrière l'autre, un tigre affamé. Les efforts du héros pour faire un choix logique, basé sur les faits, n'ont servi qu'à le rendre plus confus et plus indécis encore. Le fait que la princesse, son amante, lui montre du doigt l'une des portes ne l'aide guère. Il ignore si elle agit par sympathie ou par jalousie. Il *doit* pourtant choisir. S'il reste dans l'arène sans ouvrir aucune porte, cela signifie qu'il est condamné à mourir de faim, lentement mais sûrement.

Stockton ne précise pas quelle fut la décision de son héros. On peut espérer pour lui qu'il était un peu superstitieux. N'importe comment, dans ce cas, la superstition l'aurait aidé. Il était dans une situation telle que tout fait logique était complètement inutile — une situation qui faisait que la meilleure décision qu'il pût prendre devait être, de toute façon, rapide et audacieuse. Ensuite, c'était à lui de s'arranger avec les conséquences. Il avait peut-être une pièce de monnaie en poche. S'il avait joué à pile ou face, ses problèmes auraient été réglés d'un seul coup.

On rencontre souvent dans la vie ce genre de problèmes. Il n'y a pas très longtemps, une petite fille, dans une ville de banlieue du

Connecticut, ne rentra pas chez elle à l'heure du souper. Ses parents extrêmement inquiets, de même que les voisins, firent toutes les démarches possibles et impossibles pour la retrouver. Ils vérifièrent auprès de ses amies. Ils téléphonèrent à l'école, à l'épicerie du coin, partout. Lorsqu'ils furent certains de ne pouvoir la retrouver, ils surent que la logique ne pouvait plus leur servir. La petite fille pouvait traîner n'importe où. Il n'existait aucun fondement rationnel sur lequel se baser pour poursuivre les recherches.

Ses parents auraient aussi bien pu s'asseoir et attendre. Heureusement, la superstition les aida. Une de leurs voisines, comme passe-temps, lisait l'avenir dans les cartes du tarot. En désespoir de cause, les parents finirent par aller la voir. Elle disposa ses cartes, les étudia et dit qu'elles lui donnaient "une impression de chute d'eau, avec des rochers aux alentours". Quelqu'un fit remarquer qu'il y avait un parc tout près, avec, effectivement, une petite chute d'eau artificielle. Les parents s'y précipitèrent et découvrirent finalement la petite fille qui s'était tout simplement perdue.

La chance? Bien sûr! La magie? Peut-être! Peut-être pas! Mais que l'on y croie ou non, le tarot a quand même indiqué où se trouvait la petite fille. La superstition, dans ce cas, a empêché les parents de rester chez eux à ne rien faire. Il faut au moins reconnaître cela. La superstition les a fait agir. Dans cette situation précise, l'inaction était la pire de toutes les attitudes. La plupart de ceux qui ont cherché la petite fille, ainsi que la police, cette nuit-là pensent sans doute que la superstition est une chose ridicule. Peut-être l'est-elle effectivement. Mais elle a quand même réussi à les faire se lever de leurs chaises et se précipiter à l'extérieur, dans la nuit. S'il n'avaient pas commencé à chercher *quelque part,* la petite n'aurait sans doute jamais été retrouvée.

Si vous avez une superstition, traitez-la en amie. Riez-en en public si vous voulez, mais, en privé, dorlotez-la. Elle peut vous aider à décider quelle porte ouvrir; et aussi quel emploi choisir si on vous en offre deux qui semblent également attrayants. Ou si vous pensez aimer deux personnes différentes en même temps et vouloir les épouser toutes les deux. Ou encore si vous ne savez pas où partir en vacances.

Dans certaines situations, lorsque les données factuelles font défaut, une bonne superstition aide non seulement à choisir mais elle contribue à augmenter la confiance que l'on peut éprouver envers soi-même et sa compétence — ce sont des composantes de l'audace. Une superstition court chez les joueurs de bridge, par exemple. Ils pensent que l'on peut augmenter ses chances en changeant de place à la table de jeu. Si votre partenaire et vous étiez assis du côté est-ouest et si vous changez pour le côté nord-sud, vous augmentez ainsi, paraît-il, vos chances de gagner.

Stupide? Peut-être. Mais Charles Goren ne le pense pas.

Dans la chronique qu'il tenait chaque mois dans les pages de la revue *McCall's,* voici quelques années, Goren soulignait que l'on joue mieux quand on se sent bien. Si le fait de changer de place vous rend plus à l'aise — plus en veine, plus confiant — il est vraisemblable que votre jeu s'améliorera. Vous deviendrez plus audacieux, plus aventurier, plus décidé, plus à même de sauter sur les bonnes occasions. Changer de place modifie donc votre chance.

Il n'est d'ailleurs habituellement pas très bon de s'opposer à une superstition à laquelle on tient. Helen Wills, joueuse de tennis de réputation mondiale pendant les années 20, crut toute sa vie durant qu'il était de mauvais augure de chausser le soulier droit avant le gauche. Elle se moqua souvent de sa superstition et, un jour, décida de faire le contraire. Elle mit donc d'abord son soulier droit. Elle se rendit sur le court, joua une partie et fut, cette fois-là, battue à plate couture.

— Je ne me sentais tout simplement pas bien, raconta-t-elle plus tard. Je ne me sentais pas à l'aise. Je ne parvenais pas à me concentrer... Je sais que c'est stupide mais après, j'ai décidé de m'y conformer. Depuis lors, j'ai toujours mis le soulier gauche d'abord.

Pourquoi pas? Au pire, ce qu'on peut décréter au sujet de cette superstition, c'est qu'elle n'a pas d'importance. Au mieux, c'est qu'elle a augmenté la confiance qu'Helen Wills avait en ses talents. Elle-même se savait un peu folle de s'y conformer. Pourtant, elle l'aurait été bien plus encore si elle avait essayé de la défier.

Obéir à ses superstitions n'est pas grave dans la mesure où cela ne fait pas *oublier* les processus logiques. La superstition ne doit intervenir qu'au moment où l'on a épuisé, pour régler un problème ou prendre une décision, tous les raisonnements rationnels, toutes les intuitions, et après de très sérieuses recherches. La superstition commence là où les efforts finissent. Un vieux dicton affirme: "Aide-toi et le ciel t'aidera!" La même chose peut s'appliquer à n'importe quel pouvoir mystique ou puissance occulte.

"Ceux qui perdent de façon chronique font systématiquement trop confiance à la magie" pour résoudre leurs problèmes, dit le docteur Jay Livingston, psychologue au Collège d'Etat Monclair dans le New Jersey. Il a passé deux ans avec de nombreux joueurs anonymes et leurs familles. Il a essayé de découvrir pourquoi certains perdaient toujours, continuaient pourtant à jouer et, malgré tout, recommençaient à perdre encore. "Le perdant chronique n'a pas grande confiance en ses talents. Il se fie donc entièrement à certaines forces magiques mystérieuses. Ces forces, d'habitude, ne font pas ce qu'il veut, c'est sûr!

Le gagnant est tout à fait différent. Il peut être superstittieux, lui aussi, mais il ne compte pas sur la magie pour faire la partie du travail qu'il doit effectuer lui-même. Prenez le cas d'un joueur de base-ball, par exemple. Il peut bien croire qu'il est très mauvais de changer de chaussettes. Il n'en change donc pas et se sent plus confiant. Il n'en reste pas moins qu'il a toujours besoin de s'entraîner très fort..."

4. L'EFFET "CRAN D'ARRÊT"

Le cran d'arrêt préserve les gains. Dans le cas d'une roue à cliquet, il permet à celle-ci de tourner vers l'avant mais l'empêche de glisser vers l'arrière.

Ceux qui ont de la chance semblent organiser leur vie de façon analogue. Ils savent que la plupart de leurs actions leur apporteront soit un gain, soit une perte. Au départ, il est impossible de prévoir dans quel sens la roue va se mettre à tourner. Si elle tourne à l'envers, tout est prêt pour l'arrêter d'un coup sec. Ces gens-là savent se retirer très vite de situations qui se détériorent. Ils savent comment s'éloigner d'une situation où ils n'ont pas de chance, avant qu'elle ne devienne pire encore.

Cela paraît un truc très simple — rien de plus, peut-on penser, que le gros bon sens. Ce n'est évidemment pas aussi simple qu'il y paraît. Plusieurs personnes — essentiellement les malchanceuses — ne semblent jamais maîtriser ce truc. Elles se placent habituellement d'elles-mêmes dans de mauvaises postures, et parfois pour la vie.

Si l'effet "cran d'arrêt" semble facile à comprendre, pourquoi chacun de nous ne parvient-il pas à s'en servir? Pour plusieurs, et peut-être pour la majorité, il existe deux obstacles majeurs qui relèvent tous deux du domaine des émotions.

Ces obstacles pourtant ne sont pas insurmontables. Plusieurs semblent parvenir à les vaincre assez facilement — c'est pourquoi je les appelle des gens qui ont de la chance. Les autres doivent faire de gros efforts. Le seul fait de savoir où se situe l'obstacle et comment il se présente, même si c'est juste un peu, le rend rapidement beaucoup moins difficile à surmonter. Connaître son adversaire, c'est le début de la victoire. Si vous comprenez clairement certaines des raisons pour lesquelles la chance ne vous a pas souri jusque-là, vous avez déjà plus de chance que vous n'en aviez lorsque vous vous contentiez de gémir ("certains ont trop de chance!") et de rester assis.

Étudions donc ces deux obstacles et tâchons de voir ce qu'on peut faire pour les surmonter.

Premier obstacle
Il est trop difficile de reconnaître ses erreurs

Gerald M. Loeb est mort en 1975. C'était l'un des spéculateurs les plus brillants et les plus chanceux qui se soient jamais montrés ces dernières années à Wall Street. A la différence de nombreuses autres étoiles de la Bourse qui brillaient de tous leurs feux pendant le boom des années 50 et 60, Loeb et son argent n'ont subi aucune éclipse lorsque la partie de plaisir a pris fin en 1969. Pas plus que l'argent de ceux qui suivaient ses conseils. Loeb savait comment manipuler la chance. En particulier, il avait très bien compris l'effet "cran d'arrêt". Il savait que la roue ne tourne pas tout le temps dans le bon sens. Il s'attendait toujours à ce qu'elle commençât à glisser vers l'arrière. Dans ces cas-là, il "gelait" sa chance. Il se retirait du marché sans rien perdre de ses gains.

Loeb n'était pas seulement brillant. Il était aussi extraordinairement honnête. Son livre le plus connu s'intitule: *The Battle for Investment Survival*. Je lui demandai un jour pourquoi il lui avait donné ce titre un peu vague qui signifiait en fait qu'il fallait se battre très dur pour garder ses avoirs et son capital et pour faire des bénéfices. La plupart des autres livres écrits sur Wall Street font miroiter d'énormes profits, réalisés dans la joie et sans y mettre beaucoup d'efforts. Loeb admettait que son titre était peu invitant. Il m'expliqua ceci: "Je ne veux pas que les gens puissent venir me trouver et me dire: Ecoute! Loeb, tu disais que c'était facile mais ce ne l'est pas! Et c'est vrai que ce ne l'est pas. Pour beaucoup de personnes, la spéculation financière est un des chemins les plus difficiles pour gagner un dollar. Creuser un fossé est plus facile. Mon livre propose certaines bonnes recettes mais elles ne sont efficaces que dans la mesure où on se donne la peine de bien vouloir les utiliser. Il faut de la discipline. Il faut — il faut absolument — *un petit quelque chose* que tout le monde n'a pas."

Un des éléments les plus importants de ce livre est une recette pour maîtriser l'effet "cran d'arrêt" et cesser de spéculer quand la roue se met à tourner à l'envers. Ce n'est pas une trouvaille de Loeb. Des spéculateurs avisés l'appliquaient déjà à la Bourse d'Amsterdam au cours du XVIe siècle. Mais Loeb l'a exprimée plus clairement et avec plus de vigueur que n'importe qui. Il en était capable parce qu'il l'avait souvent utilisée durant toute sa longue carrière pleine de risques (qui débuta en 1920). De plus, il y croyait aveuglément. Il savait pourtant, en l'écrivant, que seul un tout petit nombre de lecteurs l'appliquerait avec audace et de façon assez décisive pour qu'elle soit efficace. "Sur le papier, cela semble parfaitement logique, me dit-il d'un air sombre. Les gens le lisent et disent: Mais oui! Fantastique! Mais quand on commence réellement à se servir de cette recette, on trouve cela dur. Elle vous révèle quel genre d'homme ou de femme vous êtes."

En gros, voici le truc de Loeb! Vous choisissez une série d'actions à acheter. Vous basez probablement votre choix sur un ensemble de données concrètes, de conseils avisés, sur certaines bonnes intuitions et sur toute une autre série d'éléments qui permettent d'asseoir une décision saine. Nous devons tous admettre que nous ne connaissons pas l'avenir. Si tout le travail préliminaire a été bien fait, vous pouvez espérer raisonnablement que la valeur de vos actions va grimper. Mais vous ne pouvez en être sûr. Elles peuvent tout aussi bien dégringoler le lendemain du jour où vous les avez achetées, à cause de circonstances imprévisibles ou à cause de toute une série de données dont vous n'avez pas su analyser la portée au moment où votre intuition vous a recommandé d'acheter. Il peut arriver également que les actions grimpent pendant un court moment et, ensuite, qu'elles dégringolent. Ou, si vous avez de la chance, il se peut qu'elles restent à la hausse très longtemps avant de finalement retomber. Vous n'y pouvez rien. Tout cela est imprévisible et échappe à votre contrôle. Lorsqu'on joue en Bourse, comme d'ailleurs aussi dans la plupart des autres entreprises humaines, on est toujours un peu à la merci de la chance.

Il existe une certitude pourtant. Tôt ou tard le prix de vos actions va baisser. Selon la recette de Loeb, quel que soit le moment où cela se produira, il faut savoir mettre le "cran d'arrêt" tout de suite. Dès que vous vous rendez compte que vos actions perdent de 10 à 15% de la valeur à laquelle vous les avez achetées, vendez-les — *même à perte*.

Il est clair que cette recette ne vous garantit pas de profit. Il peut arriver que vous ayez toute une série d'actions différentes et qu'elles se mettent toutes à dégringoler en-dessous de ce seuil de 10% qui vous oblige à toutes les vendre. Quiconque utilise le truc de Loeb doit s'attendre à encaisser un certain nombre de petites pertes avant de pouvoir, parfois, enregistrer un gain substantiel. La formule vous protège cependant de toute faillite majeure dans le genre de celle qui balaya tant de spéculateurs en 1929 et en 1969. L'effet "cran d'arrêt" protège donc de la malchance.

Effectivement, le système est plein de bon sens. Malheureusement, relativement peu de gens sont capables de s'en servir avec succès. Comme Loeb le faisait lui-même remarquer, c'est très dur. Elle exige, entre autres, que vous soyez capable de vous regarder dans le miroir, d'affronter les autres dans les yeux, et de reconnaître honnêtement que vous vous étiez trompé.

Ce n'est pas facile. Parfois, c'est insupportable. Des spéculateurs à la petite semaine refusent l'évidence. Aussi restent-ils des spéculateurs à la petite semaine — ou ils font faillite. S'ils achètent un lot d'actions dont la valeur tombe, ils s'accrochent à l'espoir que l'avenir leur donnera finalement raison: "Cette chute n'est que temporaire, se disent-ils plein d'espoir. Nous avions raison d'acheter ces actions-là. Il serait téméraire de les vendre à cause d'un coup de malchance juste au moment où nous venons de les acheter. Si nous vendons, nous aurons des problèmes. Le temps, de toute façon, se chargera bien de prouver combien nous étions voyants."

C'est tout à fait exact qu'ils auront certains problèmes s'ils vendent. Le "Left Behind Blues" est une des chansons les plus appropriées pour Wall Street. Elle chante l'espèce de noirceur qui vous étreint quand les actions que vous venez de vendre se mettent à doubler de valeur. Cette expérience décourageante arrive à n'importe qui. Des milliers de spéculateurs moroses la vivent chaque année. Il est absolument impossible toutefois de prédire quand cela risque d'arriver. Quand une valeur se met à baisser, il est plus sage de supposer qu'elle va continuer à le faire. Cela vaut mieux que de prier pour un revirement subit. Il est préférable de poser un geste audacieux et s'en tirer avec le minimum de pertes.

On est toujours triste, bien sûr, quand les actions qu'on avait prennent de l'altitude et vous laissent Gros-Jean comme devant. Mais il serait infiniment plus triste encore, quand elles tombent, de s'y accrocher et d'aboutir tout droit à une retentissante faillite.

Trop souvent le spéculateur malchanceux agit de la sorte, ce qui explique au premier chef pourquoi il n'a pas de chance. Il se sent émotivement incapable de vendre. Il s'accroche à ses pertes. Il prie pour qu'un jour ses actions reviennent au prix où il les a achetées. Cela arrive, mais cela peut prendre des mois, des années, voire même des décades (beaucoup de ceux qui ont perdu de l'argent en 1969 ne sont pas encore rentrés dans leurs frais — il en va de même évidemment pour certains des spéculateurs de 1929). Si après dix ans, ses actions reviennent à leur prix de départ, le malchanceux est bien capable de se convaincre d'avoir agi sagement. Il est capable de dire:

"Voilà! Je n'ai rien perdu du tout." Mais il aura investi tout son argent pendant dix ans sans que cela lui rapporte un centime. Pendant la même période, il aurait pu doubler ses gains en plaçant son capital simplement dans des plans d'épargne à long terme. Pendant que le capital de l'un stagnait, l'argent du spéculateur plus chanceux profitait énormément.

Les spéculateurs qui ont de la chance ont tous certainement vécu plusieurs de ces expériences déplaisantes dont ils ont bien été forcés de dire: "J'étais dans l'erreur." Ils sont capables de l'accepter. Ils sont capables de le dire à leurs courtiers, aux membres de leur famille et à leurs amis. Il est à peu près sûr qu'ils détestaient reconnaître leurs propres erreurs. C'est toujours mortifiant. Mais il fallait le faire, et ils l'ont fait — avec audace.

Dans un passionnant petit livre, publié en 1973, *Psycho, Sex and Stock,* le psychiatre Stanley Block et le psychologue Samuel Correnti ont livré les résultats d'une longue étude sur ceux qui perdent toujours en Bourse. Une de leurs caractéristiques principales, selon ces deux chercheurs, est un "écrasant besoin de prouver leur propre intelligence". Tout être humain éprouve indubitablement ce besoin de paraître sage et avisé. Contrôlé, celui-ci peut conduire à de remarquables succès. Mais, en même temps, cette tendance peut devenir catastrophique quand elle empêche d'admettre qu'on a tort, même quand tout le prouve. Alors, parfois, c'est une vraie cause de malchance.

Les conséquences de ce besoin de paraître avisé sont probablement plus évidentes en Bourse que nulle part ailleurs. Mais si on prend la peine d'y regarder comme il faut, on peut les retrouver partout ailleurs, cependant, dans toutes les sphères de l'activité humaine. On les discerne dans toutes les situations que l'effet "cran d'arrêt" — appliqué rapidement et avec audace — aurait suffi à corriger, et où on ne l'a pas fait.

Selon le docteur Ronald Raymond, psychologue-clinicien qui exerce dans le Connecticut, les gens qui n'ont pas de chance s'engagent souvent dans des mariages et d'autres relations à long terme qu'ils savent voués d'avance à l'échec. En agissant au début, on peut mettre un terme à une relation insatisfaisante avant qu'elle ne se détériore. Cependant, pour pouvoir poser ce geste, il faut être capable de se dire: "J'avais tort." Parfois, il faut s'y mettre à deux pour passer au travers de la douleur et des ennuis que cause une annulation de mariage.

"Les gens l'évitent parce qu'ils ont peur de paraître stupides ou ridicules, dit le docteur Raymond. Même s'ils commencent à se poser de sérieuses questions, ils continuent de se laisser aller à la dérive jusqu'au jour du mariage. Plus ce jour approche, plus ils sont coincés. Finalement, par inertie, ils se retrouvent mariés sans l'avoir réellement voulu. Ils ont devant eux des années de malheur à vivre, peut-être même toute une vie. Alors ils finissent par venir consulter des gens comme moi. Ils cherchent le moyen de s'en sortir. Ce qu'il aurait fallu, c'était un peu de cran avant le mariage. Il leur aurait fallu dire: "Stop! je m'apprête à sauter dans le mauvais train." Cela ne sert à rien que je le dise à ceux qui viennent me voir. Ils le savent déjà. Maintenant, bien sûr, c'est trop tard."

Il est souvent "trop tard" pour ceux qui n'ont pas de chance. Au début de toutes mes aventures, il y a presque toujours un moment où l'effet "cran d'arrêt" peut s'appliquer facilement et sans douleur, où l'on peut s'en sortir sans y laisser trop de plumes. Mais ce moment-là passe très vite. Lorsqu'il est parti, on est vite coincé dans la confusion des circonstances. On est pris au piège, souvent pour la vie.

"Il est triste de penser à tous ces hommes et à toutes ces femmes coincées dans un travail qu'ils détestent, dit Bill Battalia, lui qui recrute tant de personnes. Dans la plupart des cas, ces gens auraient pu changer au début de leur carrière. Il devient de plus en plus dur de quitter un emploi au fur et à mesure qu'on y reste."

F. Scott Fitzgerald pensait la même chose. Il disait: "En Amérique, la vie ne nous permet pas de choisir deux fois." Il exagérait, bien sûr! Nombreux sont les gens qui changent radicalement de carrière et réorientent leur existence après un certain temps. Mais c'est difficile. Si bien qu'on ne le fait pas souvent. Ce n'est certainement pas fréquent en Amérique (et encore moins en Europe). La charpente d'un être et la structure d'une vie, vers trente ans — et parfois même plus tôt —, sont définitives. Au mieux, ce qu'on peut y apporter, ce sont quelques corrections.

Si, dans votre cas, cette charpente ne ressemble pas à celle du château dont vous rêviez, vous devez vous considérer comme un être qui a eu de la malchance. Cette malchance, vous auriez sans doute pu l'éviter si, plus tôt, vous aviez été disposé à vous dire: "Je me suis trompé." Battalia raconte une histoire qui illustre bien ces coups de malchance que l'on peut éviter. Un jeune chimiste venait de quitter une petite compagnie minière dans le Nord-Ouest pour accepter un emploi mieux rétribué dans une grosse firme de New York. Selon sa femme, il faisait une erreur. Elle était sûre qu'il serait malheureux en ville, loin de ses montagnes et de ses rivières poissonneuses. Son patron, le président de la compagnie qui l'employait, estimait aussi que ce déplacement n'était pas très recommandé. Il pensait que le jeune homme aurait du mal à s'adapter à une grosse organisation. "D'après moi, dans six mois, vous serez de retour et vous viendrez me demander de vous réembaucher, lui dit-il amicalement. J'attendrai. Si vous voulez revenir, n'hésitez pas à me faire signe."

Moins de quelques mois plus tard, le jeune chimiste savait que sa femme et son ancien patron avaient tous deux raison. Il n'aimait pas la vie dans la métropole. De plus, il eut un coup de malchance imprévisible. Dans sa nouvelle compagnie, un changement d'administration avait eu lieu et celui qui l'avait embauché et qui lui avait promis monts et merveilles avait été soudainement muté dans d'autres fonctions. Il avait perdu tout pouvoir. Après tous ces bouleversements administratifs, l'emploi et l'avenir professionnel du jeune chimiste étaient très différents de ce qu'ils étaient au moment où il avait accepté de venir à New York.

Ç'aurait été le moment de faire jouer le "cran d'arrêt". Le chimiste, cependant, ne voulait pas avouer à sa femme et à son ancien patron combien ils avaient eu raison. Il resta donc à New York en espérant que ses mauvais débuts se termineraient à la longue sur une note plus heureuse.

"Il est exact, dit Battalia, que, parfois, les problèmes se règlent d'eux-mêmes, simplement si vous avez la patience d'attendre sans rien faire. J'ai connu beaucoup de monde qui avaient fait de ce principe la base de leur philosophie de l'existence. Ils pensaient: Si j'attends tout simplement, il est possible que la personne qui me bloque s'en aille ailleurs. Elle va peut-être mourir. Toute cette situation que je n'aime pas va peut-être changer, prendre une tournure imprévisible. Il est sûr que le problème va bien finir par disparaître un jour si vous laissez passer assez de temps. Edifier sa vie sur une attitude aussi passive me semble équivaloir à refuser la chance. Habituellement, les problèmes ne s'en vont pas — pas très vite, en tout cas. Le plus souvent, ils empirent."

C'est exactement ce qui est arrivé au chimiste. Il perdit beaucoup de temps avant de se rendre compte que ses problèmes n'étaient pas temporaires. Puis quand il s'en rendit vraiment compte, il était coincé. Les premières années, il aurait toujours pu quitter ce travail, mais il avait maintenant à affronter un autre obstacle — qui, lui, grossissait au fur et à mesure de ses hésitations.

Second obstacle
Il est trop difficile d'abandonner un investissement

Un investissement peut être financier ou amoureux. Il peut se calculer en termes de temps, d'effort, d'engagement émotif ou de toute espèce de combinaison. Peu importe de quoi cet investissement se compose, c'est une chose qu'on aime, qu'on veut préserver. Si l'une ou l'autre de vos aventures tourne mal, la façon de vous en sortir est d'abandonner ce que vous y avez investi. C'est aussi pénible que d'admettre qu'on a eu tort. Plus, quelquefois. Cela attriste tellement certaines personnes qu'elles semblent incapables de s'y résoudre. Elles sont totalement piégées. Il ne leur reste qu'à s'embourber encore plus. Elles peuvent seulement patauger sans aucun espoir, comme si la malchance devait se transformer inéluctablement en une malchance pire encore.

Le chimiste dont Bill Battalia racontait l'histoire pensait qu'il avait investi beaucoup dans cet emploi à New York. Financièrement d'abord: il avait déplacé sa famille à l'autre bout du pays, acheté et meublé une maison dans la banlieue. Il avait investi son temps. Cet investissement augmentait chaque jour. Il avait investi énormément d'efforts. Il devait travailler dur pour se mettre au fait des nouvelles techniques requises pour bien faire son travail. Il suivait des séminaires de recherche commandités par la compagnie. Il s'était inscrit à des cours à l'université. Il les suivait le soir pour combler certaines lacunes de sa formation technique. Au fil des ans, son investissement dans le fonds de pension de la compagnie croissait également. Ses bénéfices marginaux augmentaient. Tout le système était conçu pour valoriser ceux qui restaient longtemps.

Après sept ou huit ans, il se sentait irrémédiablement coincé par ce second obstacle. Il réalisait de façon presque certaine que ce dont il avait toujours rêvé — la recherche pure — ne se matérialiserait jamais. Il était bloqué dans une des sections les moins passionnantes de l'entreprise. Son travail consistait à vérifier la qualité de certains produits. Aujourd'hui, il est encore là. Maintenant qu'il a atteint l'âge mûr, il fait toujours la même chose. Il compte tristement les années qui le séparent de la retraite. Il n'est pas heureux. Il se plaint quelquefois à ses amis qu'il n'a pas eu la chance que d'autres ont connue. C'est vrai jusqu'à un certain point. Cependant, quand son aventure à New York a commencé à mal tourner, il aurait pu mettre le "cran d'arrêt" et s'en tirer sans perdre grand-chose. Il aurait pu partir et trouver quelque chose de mieux — s'il avait agi assez vite. Il ne l'a pas fait. Très tôt, c'était déjà devenu trop tard!

Cette difficulté qu'on éprouve à laisser tomber un investissement est la cause de beaucoup de tristesse à Wall Street. Le "cran d'arrêt", style Loeb, exige que l'on sache abandonner très vite et de façon définitive un dixième environ de son argent chaque fois que frappe la malchance. On en garde quatre-vingt-dix pour cent. Cela devrait suffire pour se consoler — certains estiment que ce n'est pas assez. L'actionnaire "constipé", comme l'appellent méchamment les docteurs Correnti et Block, ne peut spéculer à la baisse, ne peut laisser aller quoique ce soit. Engagé dans quelque chose, fusse une mésaventure, il y reste coincé même si cela doit le conduire à sa perte.

Cet obstacle peut devenir encore plus terrible dans le cas des jeux de hasard, comme le poker. Dans une donne de poker, comme dans la plupart des événements plus importants de l'existence, il faut accroître sa mise si l'on veut rester dans le jeu. A cet égard, le poker est plus dur que Wall Street. Quand vous achetez une série d'actions, vous investissez. C'est tout. Si l'aventure tourne mal et si vous ne vous en retirez pas, vous n'avez rien à faire sinon, la mine piteuse, regarder votre argent perdre de sa valeur. Personne ne vous oblige à augmenter votre mise. Au poker, il en va tout autrement. Dans ce jeu d'une exquise cruauté, il peut vous arriver d'avoir à miser toujours plus gros pour conserver votre avoir. Bien sûr, plus vos gains augmentent, plus votre investissement grandit. Et vous finissez par trouver très difficile d'arrêter.

Le docteur E. Louis Mahigel, professeur en communication à l'Université du Minnesota, en sait long sur le poker et sur la personnalité des perdants et des gagnants chroniques. Il quitta l'école secondaire à quinze ans et passa dix ans à gagner sa vie comme joueur professionnel — "à se débrouiller", pour utiliser ses propres termes. Il vivait bien. Il attribue son succès, pour une large part, au fait qu'il étudiait et comprenait les gens, "y compris moi-même". Il se lassa finalement d'avoir toujours à "se débrouiller". Il obtint un diplôme du secondaire puis s'inscrivit à l'université. Il termina avec un Ph.D. Mais il se souvient très bien de toutes ces interminables parties de poker et de ces hommes et de ces femmes qui gagnaient et qui perdaient.

"La principale caractéristique du joueur qui a de la chance, le "professionnel", dit-il, c'est de savoir quand et comment se retirer du jeu, et aussi comment limiter ses pertes. Bien sûr, il connaît également toutes les données statistiques par coeur — ce qui lui donne un certain avantage sur les joueurs ordinaires. Cependant, sa force principale relève de l'émotion. Quand son intuition lui dit qu'il n'a pas de chances de gagner, il n'augmente pas la mise. Il laisse simplement sa mise initiale sur la table et laisse tomber ses cartes. Le perdant chronique n'est pas émotionnellement outillé pour agir de la sorte. Il a si peur de perdre sa mise qu'il prend des risques fous pour la protéger."

La capacité de subir une série de petites pertes, en attendant un gain substantiel, est un des traits clef, de *tous* les joueurs et de *tous* les spéculateurs qui, à long terme, ont réussi. C'est aussi un trait commun de *tous* ceux qui ont de la chance. Gérald Loeb l'a noté: "Savoir quand vendre et avoir le courage de le faire au bon moment est une technique indispensable qu'il faut acquérir si l'on veut réussir sa vie. Elle ne s'applique pas seulement aux spéculations boursières. Il vaut mieux l'utiliser mal que de ne jamais apprendre à s'en servir du tout."

Les hommes et les femmes qui ont de la chance ont effectivement la capacité de se dégager quand ils le désirent. Ils refusent d'être piégés dans des amours ou des relations insatisfaisantes. Ils savent qu'il vaut mieux rompre des fiançailles plutôt que de s'enliser dans un mariage dont il est encore plus dur de se défaire. Même s'ils ont à y perdre beaucoup en termes d'investissement affectif, ils se retirent de situations qui leur semblent mauvaises sans trop attendre. Même si cela signifie abandonner une part d'eux-mêmes.

J'ai rencontré un jour un banquier suisse millionnaire qui avait réussi sans l'aide de personne. Sa philosophie de l'existence se résumait ainsi: "Dans ce jeu où chacun tire sur la corde, si vous jouez contre un tigre donnez-lui la corde avant qu'il n'arrive à votre bras. Vous pouvez toujours par la suite en acheter une nouvelle." Il faut parfois, dans la vie, savoir perdre un peu pour sauver le reste. Il est probable que tous les êtres humains de plus de dix ans le savent. Cependant, seuls ceux qui ont de la chance sont capables de le faire régulièrement.

Rien de ce que j'ai écrit dans ce chapitre (ou dans le précédent) ne doit vous porter à croire que les gens qui ont de la chance sont des êtres instables ou capricieux. Rien ne prouve que vous augmenterez vos chances en sautant au hasard d'une situation à l'autre, d'une être à l'autre, d'une place à l'autre, comme une balle de golf qui rebondirait entre les arbres. Chaque situation doit s'évaluer à son mérite. Il faut la vivre si elle promet de produire les résultats que vous en espérez. Le "cran d'arrêt" ne doit intervenir que si cela tourne mal.

Les changements de la plupart des êtres chanceux que j'ai rencontrés n'ont jamais été des caprices. Ils n'ont pas cherché à changer pour le plaisir de changer. Ils n'ont pas changé par ennui ou en espérant naïvement que le gazon serait plus vert sur la pelouse voisine. Ils n'ont pas changé d'emploi pour retrouver les mêmes fonctions ailleurs. Ils n'ont pas divorcé sans cesse à la recherche du partenaire idéal et impossible. L'inquiétude continuelle, la quête incessante de l'inaccessible, n'accroît pas la chance et risque parfois de conduire directement à la malchance.

Quand c'est de chance qu'il s'agit, il semble n'y avoir que deux bonnes raisons pour procéder à certains changements. D'abord, comme je l'ai expliqué au chapitre précédent, parce qu'un coup de chance se présente et qu'on a l'audace de le saisir. Dans ce chapîtreci, j'ai donné la seconde raison: une situation tourne mal, la malchance fait son apparition, et on applique le "cran d'arrêt". On s'en va vite avant que les choses n'empirent et avant d'être coincé. L'audace et l'effet "cran d'arrêt" sont deux composantes de l'ajustement à la chance. Dans le cadre de certaines limites, elles vous permettent de choisir votre sort. Vous saisissez le bon et chassez le mauvais. C'est presque comme choisir des pommes dans un panier, sauf que c'est plus difficile, beaucoup plus difficile! C'est même tellement difficile que seulement une minorité sait comment faire. C'est pourtant la minorité des gens qui ont de la chance.

Une dernière remarque à propos de l'audace et de l'effet "cran d'arrêt". Ils se complètent. Si vous êtes audacieux, votre mécanisme de "cran d'arrêt" se déclenche vite et de façon radicale quand vous en avez besoin. Si vous êtes sûr de son efficacité —si vous avez confiance dans le fait que, grâce à ce système, vous ne resterez jamais longtemps mal pris —, le "cran d'arrêt" accroît votre audace.

Un bon "cran d'arrêt" vous permet de vous lancer dans des aventures séduisantes mais qui, sans lui, vous auraient effrayé au point de tourner les talons. Vous vous dites: "Oui, je m'attends à perdre si cela tourne mal. Mais je ne perdrai pas beaucoup. Si cet emploi ne me réussit pas, si cette personne n'est pas faite pour moi, si le marché s'effondre demain... j'admettrai que j'avais tort, je laisserai mes dix pour cent et je m'en irai..."

Voilà la véritable audace quand on se lance dans une aventure. Les pertes possibles sont limitées mais les gains ne le sont pas. De façon relative sans doute, mais néanmoins réelle, votre chance dépend donc de vous.

5. LE PARADOXE DU PESSIMISME

On pense souvent que les mots "chanceux" et "optimiste" sont faits pour aller de pair. Quand j'ai commencé à rassembler des données sur la chance et sur la malchance des gens, voici quelques années, je m'attendais à trouver que ceux qui avaient le plus de veine seraient aussi ceux qui déborderaient d'optimisme. Je me trompais.

Les gens qui ont de la chance sont généralement heureux, bien sûr. Nous les appelons chanceux et ils se considèrent eux-mêmes comme tels, parce qu'ils ont atteint leurs objectifs personnels en partie grâce à leurs propres efforts et en partie grâce aux effets de la chance (du destin, de Dieu ou de ce qu'on voudra). Il est exact d'affirmer que la plupart d'entre eux sont agréables, satisfaits et contents. Ils rient souvent. Ils sont plaisants à fréquenter. Mais de là à les qualifier d'optimistes... Etre optimiste, c'est s'attendre à ce que les choses aillent mieux. En général, ceux qui ont de la chance ne l'espèrent pas. En fait, la majorité d'entre eux nourrissent un pessimisme si radical, si coriace et si profond qu'il surprend quand on s'en aperçoit. Oui: *nourrissent*. Ils prennent amoureusement soin de leur pessimisme, le protègent des attaques, l'exacerbent quotidiennement pour qu'il reste pur et dur. Parfois consciemment, parfois sans le savoir, ils le chérissent comme une chose précieuse. Perdre ce pessimisme serait perdre leur chance.

Au début, j'ai eu du mal à comprendre le phénomène. Cela semblait paradoxal. Les gens qui ont de la chance ne seraient donc pas optimistes? La réflexion d'un joueur professionnel de Las Vegas me tracassa longtemps: "Ne pensez pas gagner tant que vous ne serez pas prêt à tout perdre." Ou cette autre phrase de J. Paul Getty: "Quand je fais des affaires, ma première idée c'est de me demander comment je vais m'en sortir si cela tourne mal." Ou cet intelligent propriétaire d'une série de magasins pour dames: "Sur quatre affaires que je négocie, je me dis que je vais perdre de l'argent dans au moins trois cas. Et je ne serai pas surpris d'en perdre à chaque coup."

Le vieux Gérald Loeb était prudent. Il prononça la phrase qui me surprit le plus: "A la Bourse, me dit-il platement, l'optimisme peut être mortel."

On ferait donc bien d'examiner la question de plus près...

Le recours au pessimisme pour les gens qui ont de la chance peut s'articuler autour de deux lois principales. Elles s'interpénètrent. En fait, elles forment presque les deux parties d'une même loi. Pour en faciliter la compréhension, je vais toutefois les séparer et les étudier l'une après l'autre.

La loi de Murphy

Pour autant que j'aie pu m'en rendre compte par mes travaux, ce n'est pas, cela n'a jamais été le professeur Murphy qui a inventé la loi de Murphy. Les raisons pour lesquelles son nom y est associé se perdent dans la nuit des temps. C'est une loi bien connue. Les ingénieurs, les hommes d'affaires et tous ceux qui ont besoin de quelques solides certitudes en ce monde incertain la répètent souvent. La loi dit: "Si quelque chose peut aller mal, cela ira mal."

Dans un précédent chapitre, on a vu que la chance sourit aux audacieux. On a étudié pourquoi l'audace augmentait les possibilités de trouver la chance mais on a constaté également que ceux qui en ont ne s'embarquent dans une aventure qu'équipés d'un "cran d'arrêt", juste au cas où les choses iraient mal. Les gens qui ont de la chance, par définition, sont des gens que le sort a choyés — mais s'il le sont, c'est parce qu'ils ne croient jamais qu'ils le seront. Ils savent que la fortune est inconstante. Elle vous touche aujourd'hui et vous oublie le lendemain.

Ne croyez jamais — jamais — que vous êtes l'enfant chéri de la fortune. Au moment où la vie est la plus belle, la plus radieuse, au moment où la chance semble vous porter, vous soulever, vous nourrir, c'est à ce moment-là que vous êtes le plus vulnérable, c'est à ce moment que votre euphorie fait fondre votre pessimisme. Quand votre pessimisme s'en va, vous êtes en danger. Vos défenses tombent. Vous débranchez votre "cran d'arrêt". Vous négligez les petites intuitions bizarres qui essaient de vous dire ce que vous ne voulez pas entendre. Puis, tout à coup, soudainement, vous vous retrouvez le nez par terre dans la boue. Et le sort vous écrase sous son talon.

Helena Rubinstein fit fortune dans un monde qui n'aimait pas les femmes qui se lançaient en affaires. Elle comprenait bien la loi de Murphy. Elle était d'un pessimisme dur comme fer. Aucune euphorie ne parvenait à l'entamer. Peu avant sa mort, survenue à l'âge de quatre-vingt-quinze ans, elle écrivit un livre, *My Life for Beauty*. Elle y décrivait la formidable croissance de son entreprise, depuis son premier petit salon de beauté en Austalie jusqu'à cette multinationale mondialement connue qu'elle possédait à la fin. Elle avouait que la chance avait joué dans sa vie un rôle mystérieux. Le livre est rempli d'expressions comme "l'effet du destin", "l'ange de la chance". Malheureusement, elle parle peu de ce qui se cache derrière toute cette chance. Dans son apparent souci de garder un ton badin, elle ne dit presque rien de ce que je considère comme la clef maîtresse de sa personnalité: cette espèce de bloc de granit de pessimisme noir.

Pessimisme? Oui. Je lui téléphonai un jour pour prendre rendez-vous afin de l'interviewer pour le compte d'un magazine. Dès qu'elle se rendit compte que je l'appelais d'un téléphone public, elle insista pour que je lui donne mon numéro: "au cas où nous serions coupés". Cette possibilité ne m'était même pas venue à l'esprit. Cette femme, de toute évidence, connaissait parfaitement la loi de Murphy. Si quelque chose peut aller mal, cela ira mal. Nous avons *bel et bien été coupés* et je n'avais pas un sou en poche...

Son pessimisme la servit à des moments beaucoup plus cruciaux de sa vie remplie de chance et d'aventures. Elle s'était fait sa version personnelle de la loi de Murphy: "S'il existe une seule mauvaise façon d'utiliser un produit, quelqu'un va la trouver." Et le corollaire: "La femme qui l'aura trouvée aura des amies qui ne manqueront pas d'en parler partout." Un jour, alors que ses usines fabriquaient une nouvelle crème pour la peau, elle se demanda ce qui arriverait si quelqu'un en oubliait un pot sur un radiateur. Ce qui arriva était un vrai désastre. Le produit, une fois chauffé, se transformait en une espèce de mélasse répugnante et vaseuse. On l'abandonna.

A Londres, elle rencontra Isadora Duncan, la danseuse. Elle l'admirait beaucoup. Helena Rubinstein avait toujours été attirée par ce qu'elle appelait le "style" à la fois dans la décoration intérieure et dans l'habillement. Elle aimait les choses un peu dramatiques et colorées. Les longues écharpes flottantes et les châles que la danseuse portait habituellement la fascinaient. "Je me demandais s'ils pouvaient m'aller à moi aussi", raconta-t-elle plus tard. Mais en bonne adepte de la loi de Murphy, elle finit par rejeter l'idée. Elle imaginait ces écharpes en train de se prendre dans les portes coulissantes, de baigner dans sa soupe pendant les réceptions, de s'accrocher partout et de renverser les statuettes fragiles dans les salons. Dans ce cas précis, son pessimisme n'était pas allé tout à fait assez loin. Isadora Duncan est morte à quarante-neuf ans, quand le bout de son écharpe s'est enroulé autour de la roue d'une voiture en marche.

Isadora Duncan devait appartenir à cette troublante catégorie d'êtres que les psychologues et les médecins de famille étiquettent comme "prédisposés aux accidents". La plupart des accidents qu'elle a eus étaient insignifiants — des orteils écrasés, des coupures aux doigts — mais quelques-un furent, ou auraient pu être, sérieux. Une fois, par exemple, elle tomba dans un trou sur le pont d'un bateau. Ces accidents n'étaient évidemment pas causés par une maladresse physique ou une inaptitude quelconque. C'était une femme d'une grâce extraordinaire, du moins quand elle se trouvait sur scène. En vérité, Isadora Duncan était simplement une femme qui ne se souciait pas, quand quelque chose pouvait aller mal, de la voir empirer. Son insouciance, pas seulement vis-à-vis des blessures physiques mais dans sa vie en général, était quelquefois incroyable. Elle eut trois enfants illégitimes (tous moururent avant elle, le premier peu après sa naissance, et les deux autres dans un accident de voiture). Elle avait toujours des problèmes avec certains ministères. Elle perdait ses passeports, oubliait ses papiers, etc. Elle était généralement fauchée et consacrait beaucoup de temps à se tenir très loin de ses créanciers en colère — non parce qu'elle gagnait peu mais à cause d'une stupéfiante mauvaise administration de sa fortune.

Une vieille théorie psychanalytique prétend qu'une personne de ce genre, aux prises avec d'éternels problèmes en dépit de son grand talent, sujette à toute sorte d'accidents et finalement décédée prématurément, souhaitait probablement mais inconsciemment se détruire. Cette théorie a encore cours quelquefois, surtout pendant les réceptions et parmi les psychanalistes amateurs. Les véritables spécialistes de la santé mentale la mettent de plus en plus en doute. Le docteur Frédérick McGuire est psychiatre à l'Université de Californie. Il est nationalement connu et fait autorité sur la prédispositon aux accidents. Il est très critique vis-à-vis de cette théorie: "Il est exact que certains accidents semblent impliquer des sentiments masochistes et suicidaires, dit-il. Il est faux cependant de se servir de cette interprétation pour expliquer tous les cas de prédisposition aux accidents. Il y a beaucoup d'explications possibles."

Le docteur Jay Livngston, psychologue au Collège d'Etat de Monclair, qui a étudié les perdants chroniques membres des "Joueurs anonymes" fait écho aux propos du docteur McGuire: "La vieille vision psychanalytique est complètement dépassée, dit-il. Que vous parliez d'accidents ou de n'importe quelle sorte de malchance chronique, les faits prouvent qu'il est faux de prétendre que la plupart ou, même certains des perdants, perdent parce qu'ils veulent perdre. Selon mes travaux, la plupart de ces personnes veulent au contraire gagner. Si elles perdent, ce n'est pas volontairement, mais à cause d'un autre problème — dans beaucoup de cas, à cause d'un surplus d'optimisme."

Ou, pour l'exprimer selon les termes de la loi de Murphy, par manque de pessimisme. Cela semble, en tout cas, avoir été l'un des éléments essentiels de la vie mouvementée, remplie d'accidents de toutes sortes, de pertes de documents et de troubles financiers, qu'a vécue Isadora Duncan. Elle se fiait trop à sa chance. "Je dépends des dieux, écrivait-elle dans son autobiographie plutôt pompeuse et flatteuse pour elle-même... Les symboles et les présages guident ma vie..." Chaque fois qu'elle se lançait dans quelque chose de neuf, elle espérait que les dieux (ou pour le dire plus simplement: la chance) prendraient soin d'elle. Elle prenait rarement le temps de se demander ce qui pourrait mal tourner. Elle ne se protégeait pas de la malchance. Un jour, sur une impulsion, elle décida d'organiser une splendide réception, accompagnée d'un spectacle de danse, en plein air. Un ami lui suggéra qu'il serait peut-être plus prudent de prévoir aussi de l'organiser à l'intérieur à cause des conditions atmosphériques incertaines. Elle le traita de "trouble-fête" et ajouta d'un air théâtral: "La vie est faite pour qu'on la vive, et non pour qu'on s'en inquiète." Evidemment, il plut. Parmi les rares personnes qui répondirent à l'invitation, il y avait le traiteur qui exigeait d'être payé pour la véritable montagne de plats fins qu'il n'avait pu mettre à l'abri et qui s'étaient gaspillés sous la pluie.

C'est un élément du paradoxe. Les gens qui se fient la plupart du temps à leur chance sont parmi ceux qui en ont le moins. La Fortune, quand on compte sur elle trop souvent, s'en va. Ceux qui ont de la chance échappent aux accidents en grande partie parce qu'ils sont pessimistes. Ils se demandent, par exemple: "Quelle catastrophe peut m'arriver pendant que je repeins la porte de cette pièce? Il est sûr qu'il va m'en arriver une! Même si j'accroche un écriteau de l'autre côté, il se trouvera toujours bien quelqu'un pour l'ouvrir exactement au mauvais moment. Je prendrai la porte en pleine figure. Ou elle me cognera le coude et me fera échapper mon pinceau sur le parquet. Ou elle renversera le pot de peinture. Ou bien tout cela arrivera à la fois. Pour mettre toutes les chances de mon côté, je dois faire comme si j'étais certain que tout cela va se produire. Je vais placer le pot de peinture là-bas, pas ici. Je garderai le pied appuyé contre la porte...'' Le malchanceux, quant à lui, hausse les épaules et se dit: ''Bah! Je me fie à la chance. Elle est toujours avec moi. Cela ne me prendra pas plus de dix minutes, de toute façon. Les enfants ne sont pas là. Grand-père dort devant la télé...'' On peut presque prédire à coup sûr que ce jour-là, précisément, sera l'unique jour de l'année où grand-père ne parviendra pas à s'endormir devant la télévision. Il viendra voir ce qui se passe et poussera la porte...

On a mené pendant plusieurs années une recherche très approfondie sur les accidents qui arrivaient aux chauffeurs d'autobus en Afrique du Sud. Les conclusions de cette étude étaient identiques, notamment en ce qui a trait au pessimisme. Les chauffeurs les moins sûrs, ceux qui avaient été impliqués dans un plus grand nombre d'accidents que la moyenne, présentaient un trait de caractère constant: ils étaient trop optimistes. Cet optimisme jouait de trois façons différentes. Le chauffeur peu sûr avait trop confiance (1) en ses propres talents, (2) il se fiait trop aux autres chauffeurs et à leur habileté, (3) il comptait trop sur sa chance. Certains des chauffeurs les plus prédisposés aux accidents étaient extrêmement superstitieux. Ils faisaient fort confiance en leur bonne étoile (que chacun, bien entendu, définissait à sa façon) pour tout ce qui avait trait à leur vie personnelle, et même pour traverser les croisements. Ils n'essayaient pas de contrôler eux-mêmes leur destin. On l'a vu, la superstition dans certaines situations a parfois du bon et permet de prendre une décision — mais uniquement quand toutes les approches rationnelles d'un problème donné ont été épuisées.

Un autre groupe de perdants chroniques se signale également par son pessimisme trop peu développé: cette race d'hommes et de femmes inquiets qui flambent tout leur argent aux courses et dans les casinos. Nous avons vu que selon certaines théories psychanalytiques, c'est une force autodestructrice qui guide le subconscient des joueurs invétérés et des personnes prédisposées aux accidents. J'avais déjà remarqué que j'étais incapable de trouver des faits pour étayer cette théorie, que ce soit dans les casinos, sur les champs de courses ou même lors des parties de dés qui se jouent à peu près n'importe où dans la rue. La théorie ne tient pas, sauf peut-être dans certains cas rarissimes d'individus très sérieusement perturbés. Presque tous les joueurs veulent gagner. Presque tous sont déprimés quand ils perdent. Lorsqu'ils gagnent, ils passent souvent par des phases d'euphorie tout à fait disproportionnées — et c'est pour retrouver cet état délicieux, cet orgasme émotionnel, qui, pour certains, représente le plus profond des plaisirs de la vie, qu'ils misent encore et toujours et confient leur destin aux incertitudes du hasard.

Ils ne nourrissent pas le secret espoir de tout perdre et de crever de faim. Loin de là! Dans nombre de cas, le problème est un surcroît d'optimisme. "Examinez l'histoire des joueurs invétérés, dit le docteur Jay Livingston, vous constaterez souvent que ce sont des personnes qui ont gagné au début. Souvent, la chance était de leur côté quand elles ont commencé à jouer. L'expérience leur a plu. Elles ont voulu la revivre. Evidemment, c'est impossible. Les lois de la probabilité démontrent clairement qu'on ne peut pas gagner toujours. Vous le savez autant que moi, mais le joueur invétéré, lui, n'en tient pas compte et continue à espérer..."

L'optimisme est un vrai fléau. Le psychiatre William Boyd a étudié avec passion la psychologie du risque. Il pense lui aussi que la "chance des débutants" peut être dangereuse. "Si vous portez en germe tout ce qui fait un joueur invétéré, dit-il, le mieux qui puisse vous arriver serait de perdre piteusement les premières fois que vous jouez. Si un joueur invétéré en puissance expérimente un jour cette chance des débutants, cela peut être la pire des malchances qui puisse lui arriver."

Il en va de même pour ce qui concerne la vie en général. On peut se dire que le monde des assurances est basé sur le pessimisme. On achète une assurance pour se protéger de toute malchance. Si vous ne vous attendez pas à des revers de fortune — si vous sentez que les étoiles, vos divinités personnelles ou encore quelque autre truc mystique vous protégera —, vous n'achetez pas d'assurances. "En règle générale, dit Peter Fagan, agent de la Northwestern Mutual, mes prospects les plus difficiles sont les adultes qui ont eu beaucoup de chance quand ils étaient jeunes. Rien de triste ne leur est arrivé ni à aucun membre de leur famille — pas de maladie, pas de problèmes financiers. Ils se sentent donc invincibles. Parfois, c'est juste un vague sentiment, mais quelquefois ils se croient réellement favorisés. Ils se disent: Oh! J'ai toujours eu de la chance! Chaque fois que j'ai des problèmes, quelque chose semble toujours arriver pour me sortir du pétrin... Je me sens toujours mal à l'aise, poursuit Fagan, d'avoir à administrer des douches froides à ces optimistes béats. De fait, les gens qui ont de la chance sont plus vulnérables que les autres. Ils n'achètent pas d'assurance et ne prennent pas de précaution. Alors finalement, parce qu'ils ont de la chance, ils deviennent vraiment les seuls qu'une malchance catastrophique risque de surprendre plus tard."

Se sentir favorisé par le sort est un état dangereux. Ne laissez jamais ce sentiment vous envahir. N'oubliez jamais la loi de Murphy.

Les joueurs professionnels — ceux qui gagnent froidement, par opposition aux agités qui perdent toujours — vont plus loin que cela. Pour eux, la loi de Murphy est trop douce. Ils ne s'attendent pas simplement à ce que les choses aillent plus mal. Ils s'attendent à ce que tout devienne toujours catastrophique. Ils ne se conditionnent pas à la simple malchance moyenne, mais à l'outrageuse malchance.

— Les perdants, dit un joueur professionnel de Las Vegas, ne réfléchissent pas une seconde à ce que nous appelons "le coussin". Le "coussin", c'est le capital qu'il faut pouvoir perdre pendant une longue période de malchance. Il faut avoir assez d'argent pour absorber toutes les pertes en attendant que la chance tourne. Plus vos mises sont élevées, plus votre coussin doit être confortable. Les perdants mésestiment toujours le coussin. Ils commencent à jouer avec trop peu de réserves. Ils se disent qu'ils ont gagné assez pour pouvoir supporter une série de déveines. Tout professionnel sait que les choses ne marchent pas ainsi. Il faut s'attendre à plus qu'une suite de déveines. Il faut s'attendre à une malchance infernale.

L'antique et romantique jeu de roulette peut illustrer très clairement et très simplement cette vérité. Supposez que vous choisissiez de jouer uniquement le rouge ou le noir. Vous limitez votre mise à un dollar le coup. Selon les lois de la probabilité, vous devriez gagner environ tous les deux coups avec un léger risque de pertes supplémentaires lorsque la petite boule d'ivoire tombe dans l'un des trous de la banque. Vous pouvez vous dire: "Je sais que les couleurs ne sortiront pas exactement en alternance, rouge-noir, toute la soirée avec la régularité d'un tic-tac d'horloge. La roulette peut aussi bien s'arrêter plusieurs fois de suite tantôt sur une couleur, tantôt sur une autre. Je prévois donc la malchance et j'imagine qu'il peut arriver que je perde jusqu'à cinq fois de suite. A cela, il me faut ajouter un ou deux coups pour la banque. J'estime donc qu'avec sept dollars, j'ai un bon coussin. Cette somme devrait me permettre de jouer toute la soirée."

Avec un tel montant, en fait, vous pouvez être facilement lessivé après le dixième ou le quinzième coup — si la malchance s'en mêle, ou même plus tôt. Vous n'avez tout simplement pas tenu compte du fait que, ce jour-là, votre malchance pouvait être pire encore que de la malchance.

S'il n'y avait pas toute cette question du coussin, il serait facile de concevoir n'importe quelle martingale à toute épreuve pour faire sauter la banque. Il suffirait purement et simplement d'augmenter le montant des mises après chaque perte et de miser assez longtemps pour qu'une victoire permette de récupérer d'un seul coup toutes les pertes antérieures. Cela donne l'impression d'être simple mais exige un capital astronomique pour parvenir à supporter une longue série de pertes (et, juste au cas où quelqu'un arriverait à la table de jeu avec cette somme astronomique, tous les casinos se sont protégés en limitant le montant des mises). C'est essentiellement la raison pour laquelle aucune des centaines de martingales infaillibles conçues au cours des siècles — et que pratiquent toujours les naïfs et les optimistes de Las Vegas et de Monte-Carlo — ne peut réellement être efficace. Certaines fonctionnent relativement bien lorsqu'on n'est pas trop malchanceux. Aucune, cependant, ne résiste le jour où l'on doit affronter (et on peut être certain d'avoir à le faire à un moment ou à un autre) une malchance plus grande que la malchance ordinaire.

Martin Gardner, l'homme de la mathématique et adepte de la théorie du probable, adhère solidement au principe qu'il faut s'attendre au pire. Dans un de ses articles de *Scientific American,* il parle d'une certain Billy Lee qui faisait remarquer: "Ne vous en faites donc pas, la foudre ne frappe jamais deux fois la même personne."

La loi de Mitchell

Martha Mitchell naquit obscurément quelque part, dans l'Arkansas. Elle lutta de toutes ses forces pour devenir mannequin. Elle épousa un avocat qui réussit rapidement, et se retrouva au sommet de la fortune et de la gloire. Puis, sa situation se dégrada pour s'effondrer d'un seul coup pendant les derniers jours peu reluisants que vécut l'Administration Nixon. Je j'ai rencontrée avec deux autres rédacteurs en 1975 et nous avons dîné ensemble. Nous voulions lui parler d'une autobiographie qu'elle aurait pu rédiger. Ce qu'on racontait d'elle dans les journaux, quelques années auparavant, nous avait préparé à rencontrer une femme autoritaire et égoïste. Pas du tout. Martha Mitchell disait, presque tout bas: "La vie est glissante comme une barre de savon. Ne pensez pas pouvoir la saisir. Vous vous trompez..."

C'est cela, la loi de Mitchell! Je l'appelle comme cela simplement pour lui donner un nom (et peut-être parce que j'éprouve une certaine tendresse pour cette femme). D'autres noms auraient pu servir aussi bien. D'autres hommes et d'autres femmes ont exprimé la même loi en d'autres termes. Bill Battalia, par exemple: "Les gens aiment dire qu'ils planifient leur vie, mais plus de la moitié de cette planification, c'est la chance ou le destin qui la fait. Quelqu'un qui avait réussi me dit un jour qu'il avait planifié sa vie de façon à arriver exactement là où il se trouvait. Je lui ai rétorqué qu'il souffrait de mémoire sélective. Kirk Douglas disait: "Nous aimons penser que nous contrôlons nos vie mais c'est une maudite illusion. Il y a toujours le facteur X..."

Le facteur X, c'est la chance. Au tout début de ce livre, je définissais les coups de chance comme "des événements qui influencent nos vies et qui, en apparence, échappent à notre contrôle". Si vous pensez que vous pouvez vous immuniser contre tous les événements désagréables, vous vous trompez. L'illusion peut être dangereuse.

— Il fut un temps, dit Martha Mitchell, où le monde était à mes pieds. J'obtenais tout ce que je voulais. J'avais la sensation de *contrôler* ma vie. Je me sentais maîtresse de mon destin. Je pensais que, dans la mesure où je resterais prudente, plus rien ne pourrait changer. Eh bien! je me trompais. Tout s'est effondré. J'aurais dû prendre certaines précautions. J'aurais pu faire certaines choses. Mais je me sentais trop forte. J'étais trop sûre de moi...

Elle était en train de dire que le pessimisme lui aurait été fort utile — il lui aurait permis de combattre cette illusion qu'elle avait de contrôler les événements. Au cours des années 60, elle ne pouvait pas prévoir ce qui allait lui arriver: que son mari serait impliqué dans un odieux scandale politique, qu'il tomberait, et elle aussi, la tête la première tout en bas de l'échelle, qu'elle devrait quitter les hautes sphères politiques et sociales où ils évoluaient jusque-là tous les deux, que les remous les balaieraient et qu'elle resterait seule, impuissante, malade et presque complètement ruinée. Personne ne pouvait prédire cet enchaînement ahurissant d'événements. Il aurait fallu cependant tenir compte de la malchance, toujours possible. Martha Mitchell aurait pu prendre certaines précautions, du moins financières. Elle aurait pu s'armer psychologiquement de façon à mieux faire face au moindre coup du sort. La malchance qui lui arriva aurait pu laisser moins de traces et faire moins de ravages. C'est au comble de la gloire qu'elle aurait dû se dire que "la vie est glissante comme une barre de savon". Elle nous l'avoua plus tard avec tristesse. C'est bien avant qu'elle aurait dû parvenir à cette conclusion.

Les gens qui ont de la chance, beaucoup plus que ceux qui n'en ont pas, sont conscients que des événements imprévisibles et incontrôlables peuvent surgir inopinément dans leur vie, n'importe quand. Personne ne contrôle tout à fait son existence. Les gens qui ont de la chance sont capables de s'adapter à cette incertitude. Ils se préparent à saisir les occasions qui se présentent et à se protéger des coups du sort. Si quelque chance surgit — comme on l'a vu —, ils sautent dessus. Ils ne l'ignorent pas. Ils ne continuent pas péniblement à progresser en ligne droite vers le but qu'ils avaient planifié. Si quelque déveine leur arrive, ils sont capables de s'en aller vite avant que la malchance ne les dévore. Les gens qui ont de la chance ne nourrissent pas l'illusion que la vie est une chose bien ordonnée, qu'elle peut se planifier avec précision, que tout arrive exactement comme on le souhaite. Le désordre de la vie plaît à certains et les amuse. D'autres en sont irrités, tout comme les malchanceux. La différence entre les deux groupes, c'est que les gens qui ont de la chance acceptent le désordre. C'est une donnée factuelle, objective, dont ils doivent tenir compte, qu'ils le veuillent ou non.

Les malchanceux tentent de lutter contre ce désordre. Ils ne l'acceptent pas. Le docteur Eugène Emerson Jennings, professeur en science administrative à l'Université du Michigan, l'a clairement illustré. Il a étudié les traits de caractère de divers cadres supérieurs pour essayer de trouver les caractéristiques personnelles qui mènent au succès et celles qui conduisent à l'échec. Un livre remarquable sortit de ses longues années de recherche: *Executive Success*. Il y écrit que les cadres voués à l'échec ont deux traits de caractère dominants: l'illusion d'être hors d'atteinte de la malchance et une certaine illusion de supériorité par rapport aux circonstances de la vie.

"Le travail d'un cadre supérieur est de faire en sorte que les choses se passent comme prévu, écrivait le professeur Jennings. Parfoi, il y a échec par erreur ou par malchance. L'administrateur qui réussit est donc émotivement prêt à subir certaines malchances. Il n'est pas démoralisé quand elles le frappent. L'administrateur voué à l'échec, avec ses deux illusions d'"immunité" et de "supériorité" est plus facile à déséquilibrer.

Chaque cadre supérieur a sa conception personnelle du sort, dit le docteur Jennings. Ceux qui ont réussi sont conscients que le hasard peut réduire à rien les plans les plus soigneusement construits. Si cela se produit, le cadre supérieur qui a réussi est bien sûr malheureux, mais son infortune ne le détruit pas. Il se dit: une part de cette malchance est peut-être due à ma mauvaise gestion, mais une part importante est, sans conteste, de la pure déveine. Celui qui est enclin à être malchanceux n'a pas les ressources émotives nécessaires pour accepter les échecs fortuits de manière aussi calme. Il se cramponne à l'illusion qu'il exerce un contrôle total sur les événements. Sa tendance est de se blâmer lui-même quand il lui arrive un coup de malchance. Il réagit en s'attribuant la responsabilité de l'échec."

Selon Horace Levinson, mathématicien, ce genre de réaction est la cause de nombreux problèmes dans le monde des affaires. Ses effets sont pires que la malchance elle-même. Dans *Chance, Luck and Statistics,* le docteur Levinson prend pour exemple le cas d'un gérant des ventes qui met au point un plan très habile pour s'emparer rapidement d'une partie du marché que détient un de ses compétiteurs.

Dès le début, la malchance s'en mêle et tout va mal. Le gérant des ventes se dit qu'il doit essayer de nouveau. Il se convainc, en pensant: "Mon plan a échoué à cause d'un coup de malchance. Cela ne se produira pas deux fois." Pourtant, cela *pourrait* effectivement se répéter. Et un individu le moindrement pessimiste aurait trouvé les mécanismes pour se défendre d'un nouvel échec. Il se trouvera sans doute de nombreuses personnes dans la compagnie qui ne voudront pas réessayer. "Regardez les faits, diront-ils, le plan a échoué." Et cette bonne idée sera sans doute abandonnée définitivement. Le bon administrateur en sera frustré. L'histoire, dit le docteur Levinson, illustre une façon de penser somme toute trop fréquente dans le monde des affaires. On ne considère jamais, ou jamais assez, l'importance du facteur chance dans les entreprises.

Ni même dans la vie en général. Lorsqu'on se cramponne à l'illusion de contrôler son existence, on s'expose à deux types de danger. Le premier, c'est qu'on ne se construit pas de défenses contre la malchance imprévue qui peut frapper n'importe qui, n'importe quand. Le second danger, c'est que la malchance, quand elle frappe, risque de détruire complètement l'individu. Il réagit d'une façon objectivement très peu positive.

Les joueurs professionnels, en ce sens, sont plus brillants que beaucoup d'hommes d'affaires. Pour reprendre les termes du docteur Louis Mahigel, l'ancien "débrouillard" devenu professeur: "Le professionnel sait qu'aux cartes l'issue du jeu dépend en partie de la chance et en partie de son habileté. Il fait très, très attention de séparer ces deux éléments dans son esprit. Il a toujours l'avantage sur le "pigeon" qui, entre autres problèmes, a celui de ne pas savoir séparer les deux. Le "pigeon" typique pense toujours avoir plus de contrôle qu'il n'en a en réalité."

Si le "pigeon" a plusieurs fois de suite une série de bonnes cartes, il amasse un petit magot. Il a deux façons différentes de réagir, d'habitude. Ou bien, il pense: "Comme je suis bon!" ou bien: "La chance est avec moi ce soir! Il est impossible que je perde!" Dans les deux cas, il s'imagine qu'il est supérieur. Il s'illusionne. Le cours des événements lui échappera toujours.

Le professionnel, par contre, assis de l'autre côté de la table, se contente d'observer. Petit à petit, sa joie grandit. Il sait qu'à un moment donné le "pigeon" va se mettre à miser de grosses sommes, même s'il n'a pas de jeu. Le "pigeon" n'est pas armé contre un revirement de situation. Il se croit invincible, habile, veinard, ou les trois à la fois. Le professionnel fait semblant d'opiner. Il dit quelques phrases bien pesées: "Comme vous êtes rusé!... Monsieur, vous êtes en veine ce soir!" Le professionnel a assez d'argent pour perdre beaucoup. Il attend patiemment que la chance tourne. Ensuite, il fonce. Le "pigeon" finit d'abord par perdre tous ses gains, ensuite son capital et même, si le professionnel s'en donne la peine, tout l'argent qu'il peut emprunter.

C'est toujours une erreur de croire que l'on contrôle les événements. Un petit livre fascinant, *The Loser,* publié voici quelques années, illustre clairement cette grande leçon. Son auteur, William S. Hoffman, était un joueur invétéré — il jouait surtout aux courses. Son livre est un résumé de la longue et lente glissade qu'il vécut jusqu'à la misère la plus noire, les dettes et la déchéance. Il avait évidemment violé presque toujours la plupart des règles de l'ajustement à la chance, y compris la dernière: le paradoxe du pessimisme. Il se fiait à un vieil adage issu de la sagesse populaire que son père répétait souvent. Son père était un entraîneur sportif connu. Cet adage était: "Si tu es bon, tu n'as pas besoin de chance..."

Nous l'avons déjà souligné: plusieurs de ces notions de la sagesse populaire mènent tout droit à la malchance. Celle-ci est peut-être la pire de toutes. J'aimerais bien savoir pourquoi elle a la peau si dure. Hoffman, comme beaucoup d'autres malchanceux, en faisait une des bases de sa philosophie de l'existence. Il croyait qu'il était un bon parieur, qu'il connaissait bien les chevaux. Il était probablement bon. Il ne manquait certainement pas d'exercice, en tous cas. Pourtant, il avait tellement confiance en ses aptitudes qu'il négligeait le facteur chance, cet élément beaucoup plus important qu'il ne voulait l'admettre. Et c'est ce qui le perdit.

N'oubliez jamais que vous pouvez devenir malchanceux. La malchance n'est jamais loin. Doutez de votre emprise sur les événements. Soyez prêt à devoir vous défaire de tout, n'importe quand, pour aller n'importe où, à peu près dans n'importe quel état.

Martha Mitchell avait tout à fait raison. La vie est glissante comme une barre de savon.

Nous avons examiné séparément la loi de Murphy et la loi de Mitchell. Assemblons-les et voyons ce que cela donne. La loi de Murphy conseille de ne pas trop se fier au sort car les situations peuvent aussi bien s'améliorer que pourrir. La loi de Mitchell nous dit de ne pas trop nous fier au contrôle que nous pensons avoir sur les événements. Ce contrôle est beaucoup plus restreint que nous ne nous plaisons à l'imaginer.

Selon chacune de ces deux lois, *il ne faut jamais s'engager dans une situation sans savoir quoi faire si elle tournait mal.*

Voilà le sain pessimisme de celui qui a de la chance! Tout au fond de ce pessimisme luit, toutefois, une petite lueur d'espoir. Si la malchance empêche tout contrôle sur sa destinée, tout sens critique, il en va de même de la chance. On l'a vu, lorsqu'on étudiait le phénomène *Fortuna audentes juvat.* Les audacieux sont prêts à sauter sur les occasions quand elles se présentent, même si cela signifie de changer de direction, sans autre préavis. Ils n'essaient pas d'exercer sur leur vie un contrôle si rigide qu'il les empêcherait de profiter des coups de chance qui se présentent à l'extérieur de leur champ d'activité.

Les lois pessimistes de Murphy et de Mitchell ont donc ce corollaire optimiste: *"Si quelque chose va bien, n'hésitez pas."* Ou, en d'autres termes: *"Lorsque la chance vous fait changer de direction, eh bien! foncez!"*

C'est la meilleure chose à faire de toute façon, la vie nous glisse entre les doigts, peu importe comment nous la manipulons. Le contrôle total est une illusion. Alors, bonne chance!

Table des matières

Achevé d'imprimer sur les presses de
L'IMPRIMERIE ELECTRA*
pour
LES ÉDITIONS DE L'HOMME LTÉE
*Division du groupe Sogides Ltée

Imprimé au Canada/Printed in Canada

Charlebois, qui es-tu?, B. L'Herbier,

Comité (Le), M. et P. Thyraud de Vosjoli,

Des hommes qui bâtissent le Québec,
  collaboration,

Drogues, J. Durocher,

Epaves du Saint-Laurent (Les),
  J. Lafrance,

Ermite (L'), L. Rampa,

Fabuleux Onassis (Le), C. Cafarakis,

Félix Leclerc, J.P. Sylvain,

Filière canadienne (La), J.-P. Charbonneau,

Francois Mauriac, F. Seguin,

Greffes du coeur (Les), collaboration,

Han Suyin, F. Seguin,

Hippies (Les), Time-coll.,

Imprévisible M. Houde (L'), C. Renaud,

Insolences du Frère Untel, F. Untel,

J'aime encore mieux le jus de betteraves,
  A. Stanké,

Jean Rostand, F. Seguin,

Juliette Béliveau, D. Martineau,

Lamia, P.T. de Vosjoli,

Louis Aragon, F. Seguin,

Magadan, M. Solomon,

Maison traditionnelle au Québec (La),
  M. Lessard, G. Vilandré,

Maîtresse (La), James et Kedgley,

Mammifères de mon pays,
  Duchesnay-Dumais,

Masques et visages du spiritualisme
  contemporain, J. Evola,

Michel Simon, F. Seguin,

Michèle Richard raconte Michèle Richard,
  M. Richard,

Mon calvaire roumain, M. Solomon,

Mozart, raconté en 50 chefs-d'oeuvre,
  P. Roussel,

Nationalisation de l'électricité (La),
  P. Sauriol,

Napoléon vu par Guillemin, H. Guillemin,

Objets familiers de nos ancêtres, L. Ver-
  mette, N. Genêt, L. Décarie-Audet,

On veut savoir, (4 t.), L. Trépanier,

Option Québec, R. Lévesque,

Pour entretenir la flamme, L. Rampa,

Pour une radio civilisée, G. Proulx,

Prague, l'été des tanks, collaboration,

Premiers sur la lune,
  Armstrong-Aldrin-Collins,

Prisonniers à l'Oflag 79, P. Vallée,

Prostitution à Montréal (La),
  T. Limoges,

Provencher, le dernier des coureurs
  des bois, P. Provencher,

Québec 1800, W.H. Bartlett,

Rage des goof-balls (La),
  A. Stanké, M.J. Beaudoin,

Rescapée de l'enfer nazi, R. Charrier,

Révolte contre le monde moderne,
  J. Evola,

Riopelle, G. Robert,

Struma (Le), M. Solomon,

Terrorisme québécois (Le), Dr G. Morf,

Ti-blanc, mouton noir, R. Laplante,

Treizième chandelle (La), L. Rampa,

Trois vies de Pearson (Les),
  Poliquin-Beal,

Trudeau, le paradoxe, A. Westell,

Un peuple oui, une peuplade jamais!
  J. Lévesque,

Un Yankee au Canada, A. Thério,

Une culture appelée québécoise,
  G. Turi,

Vizzini, S. Vizzini,

Vrai visage de Duplessis (Le),
  P. Laporte,

ENCYCLOPEDIES

Encyclopédie de la maison québécoise,
  Lessard et Marquis,

Encyclopédie des antiquités du Québec,
  Lessard et Marquis,

Encyclopédie des oiseaux du Québec,
  W. Earl Godfrey,

Encyclopédie du jardinier horticulteur,
  W.H. Perron,

Encyclopédie du Québec, Vol. I et Vol. II,
  L. Landry,

ESTHETIQUE ET VIE MODERNE

Cellulite (La), Dr G.J. Léonard,
Chirurgie plastique et esthétique (La),
  Dr A. Genest,
Embellissez votre corps, J. Ghedin,
Embellissez votre visage, J. Ghedin,
Etiquette du mariage, Fortin-Jacques,
  Farley,
Exercices pour rester jeune, T. Sekely,
Exercices pour toi et moi,
  J. Dussault-Corbeil,
Face-lifting par l'exercice (Le),
  S.M. Rungé,
Femme après 30 ans (La), N. Germain,

Femme émancipée (La), N. Germain et
  L. Desjardins,
Leçons de beauté, E. Serei,
Médecine esthétique (La),
  Dr G. Lanctôt,
Savoir se maquiller, J. Ghedin,
Savoir-vivre, N. Germain,
Savoir-vivre d'aujourd'hui (Le),
  M.F. Jacques,
Sein (Le), collaboration,
Soignez votre personnalité, messieurs,
  E. Serei,
Vos cheveux, J. Ghedin,
Vos dents, Archambault-Déom,

LINGUISTIQUE

Améliorez votre français, J. Laurin,
Anglais par la méthode choc (L'),
  J.L. Morgan,
Corrigeons nos anglicismes, J. Laurin,
Dictionnaire en 5 langues, L. Stanké,

Petit dictionnaire du joual au français,
  A. Turenne,
Savoir parler, R.S. Catta,
Verbes (Les), J. Laurin,

LITTERATURE

Amour, police et morgue, J.M. Laporte,
Bigaouette, R. Lévesque,
Bousille et les justes, G. Gélinas,
Berger (Les), M. Cabay-Marin, Ed. TM,
Candy, Southern & Hoffenberg,
Cent pas dans ma tête (Les), P. Dudan,
Commettants de Caridad (Les),
  Y. Thériault,
Des bois, des champs, des bêtes,
  J.C. Harvey,
Ecrits de la Taverne Royal, collaboration,
Exodus U.K., R. Rohmer,
Exxoneration, R. Rohmer,
Homme qui va (L'), J.C. Harvey,
J'parle tout seul quand j'en narrache,
  E. Coderre,
Malheur a pas des bons yeux (Le),
  R. Lévesque,
Marche ou crève Carignan, R. Hollier,
Mauvais bergers (Les), A.E. Caron,

Mes anges sont des diables,
  J. de Roussan,
Mon 29e meurtre, Joey,
Montréalités, A. Stanké,
Mort attendra (La), A. Malavoy,
Mort d'eau (La), Y. Thériault,
Ni queue, ni tête, M.C. Brault,
Pays voilés, existences, M.C. Blais,
Pomme de pin, L.P. Dlamini,
Printemps qui pleure (Le), A. Thério,
Propos du timide (Les), A. Brie,
Séjour à Moscou, Y. Thériault,
Tit-Coq, G. Gélinas,
Toges, bistouris, matraques et soutanes,
  collaboration,
Ultimatum, R. Rohmer,
Un simple soldat, M. Dubé,
Valérie, Y. Thériault,
Vertige du dégoût (Le), E.P. Morin,

LIVRES PRATIQUES – LOISIRS

Aérobix, Dr P. Gravel,
Alimentation pour futures mamans,
  T. Sekely et R. Gougeon,

Améliorons notre bridge, C. Durand,
Apprenez la photographie avec Antoine
  Desilets, A. Desilets,

LE MONDE DES AFFAIRES ET LA LOI

PATOF

SANTE, PSYCHOLOGIE, EDUCATION

Activité émotionnelle (L'), P. Fletcher,
Allergies (Les), Dr P. Delorme,
Apprenez à connaître vos médicaments,
 R. Poitevin,
Caractères et tempéraments,
 C.-G. Sarrazin,
Comment animer un groupe,
 collaboration,
Comment nourrir son enfant,
 L. Lambert-Lagacé,
Comment vaincre la gêne et la timidité,
 R.S. Catta,
Communication et épanouissement
 personnel, L. Auger,
Complexes et psychanalyse,
 P. Valinieff,
Contact, L. et N. Zunin,
Contraception (La), Dr L. Gendron,
Cours de psychologie populaire,
 F. Cantin,
Dépression nerveuse (La), collaboration,
Développez votre personnalité,
 vous réussirez, S. Brind'Amour,
Douze premiers mois de mon enfant (Les),
 F. Caplan,
Dynamique des groupes,
 Aubry-Saint-Arnaud,
En attendant mon enfant,
 Y.P. Marchessault,
Femme enceinte (La), Dr R. Bradley,
Guérir sans risques, Dr E. Plisnier,
Guide des premiers soins, Dr J. Hartley,

Guide médical de mon médecin de famille,
 Dr M. Lauzon,
Langage de votre enfant (Le),
 C. Langevin,
Maladies psychosomatiques (Les),
 Dr R. Foisy,
Maman et son nouveau-né (La),
 T. Sekely,
Mathématiques modernes pour tous,
 G. Bourbonnais,
Méditation transcendantale (La),
 J. Forem,
Mieux vivre avec son enfant, D. Calvet,
Parents face à l'année scolaire (Les),
 collaboration,
Personne humaine (La), Y. Saint-Arnaud,
Pour bébé, le sein ou le biberon,
 Y. Pratte-Marchessault,
Pour vous future maman, T. Sekely,
15/20 ans, F. Tournier et P. Vincent,
Relaxation sensorielle (La), Dr P. Gravel,
S'aider soi-même, L. Auger, 4.00
Soignez-vous par le vin, Dr E. A. Maury,
Volonté (La), l'attention, la mémoire,
 R. Tocquet,
Vos mains, miroir de la personnalité,
 P. Maby,
Votre personnalité, votre caractère,
 Y. Benoist-Morin,
Yoga, corps et pensée, B. Leclerq,
Yoga, santé totale pour tous,
 G. Lescouflar,

SEXOLOGIE

Adolescent veut savoir (L'),
 Dr L. Gendron,
Adolescente veut savoir (L'),
 Dr L. Gendron,
Amour après 50 ans (L'), Dr L. Gendron,
Couple sensuel (Le), Dr L. Gendron,
Déviations sexuelles (Les), Dr Y. Léger,
Femme et le sexe (La), Dr L. Gendron,
Helga, E. Bender,
Homme et l'art érotique (L'),
 Dr L. Gendron,
Madame est servie, Dr L. Gendron,

Maladies transmises par relations
 sexuelles, Dr L. Gendron,
Mariée veut savoir (La), Dr L. Gendron,
Ménopause (La), Dr L. Gendron,
Merveilleuse histoire de la naissance (La),
 Dr L. Gendron,
Qu'est-ce qu'un homme, Dr L. Gendron,
Qu'est-ce qu'une femme, Dr L. Gendron,
Quel est votre quotient psycho-sexuel?
 Dr L. Gendron,
Sexualité (La), Dr L. Gendron,
Teach-in sur la sexualité,
 Université de Montréal,
Yoga sexe, Dr L. Gendron et S. Piuze,

SPORTS (collection dirigée par Louis Arpin)

ABC du hockey (L'), H. Meeker,
Aikido, au-delà de l'agressivité,
 M. Di Villadorata,
Bicyclette (La), J. Blish,

Comment se sortir du trou au golf,
 Brien et Barrette,
Courses de chevaux (Les), Y. Leclerc,

Ouvrages parus à
L'ACTUELLE
JEUNESSE

Ouvrages parus à
L'ACTUELLE

Ouvrages parus aux
PRESSES LIBRES

Books published by HABITEX

Aikido, M. di Villadorata,
Blender recipes, J. Huot,
Caring for your lawn, P. Pouliot,
Cellulite, G .Léonard,
Complete guide to judo (The), L. Arpin,
Complete Woodsman (The),
   P. Provencher,
Developping your photographs,
   A. Desilets,
8/Super 8/16, A. Lafrance,
Feeding your child, L. Lambert-Lagacé,
Fondues and Flambes,
   S. and L. Lapointe,
Gardening, P. Pouliot,
Guide to Home Canning (A),
   Sister Berthe,
Guide to Home Freezing (A),
   S. Lapointe,
Guide to self-defense (A), L. Arpin,
Help Yourself, L. Auger,

Interpreting your Dreams, L. Stanké,
Living is Selling, J.-M. Chaput,
Mozart seen through 50 Masterpieces,
   P. Roussel,
Music in Canada 1600-1800,
   B. Amtmann,
Photo Guide, A. Desilets,
Sailing, N. Kebedgy,
Sansukai Karate, Y. Nanbu,
"Social" Diseases, L. Gendron,
Super 8 Cine Guide, A. Lafrance
Taking Photographs, A. Desilets,
Techniques in Photography, A. Desilets,
Understanding Medications, R. Poitevin,
Visual Chess, H. Tranquille,
Waiting for your child,
   Y. Pratte-Marchessault,
Wine: A practical Guide for Canadians,
   P. Petel,
Yoga and your Sexuality, S. Piuze and
   Dr. L. Gendron,

Diffusion Europe

Belgique: 21, rue Defacqz — 1050 Bruxelles
France: 4, rue de Fleurus — 75006 Paris